人文阅读与收藏·良友文学丛书

舒乙题

原丛书主编：赵家璧

特 邀 顾 问：舒　乙　赵修慧　赵修义　赵修礼　于润琦

出 品 人：马连弟
监　　制：李晓琤
执　　行：张娟平
统　　筹：吴　晞　姚　兰
装帧设计：赵泽阳

特别鸣谢（按姓氏笔画排列）：
韦　韬　叶永和　李小林　沈龙朱　陈小滢　杨子耘
张　章　周　雯　周吉仲　舒　乙　蒋祖林　施　莲
姚　昕　俞昌实　钟　蕻　郑延顺　赵修慧
以及在版权联系过程中尚未联系到的作者或家属

特别鸣谢：
上海鲁迅纪念馆
北京鲁迅博物馆
北京大学中国语言文学系
复旦大学中国语言文学系
中国作家协会权益保障委员会

人文阅读与收藏·良友文学丛书

一个女兵的自传

谢冰莹 著

中国国际广播出版社

良友版《一个女兵的自传》精装本封面

良友版《一个女兵的自传》编号页

良友版《一个女兵的自传》扉页

良友版《一个女兵的自传》版权页和目录页

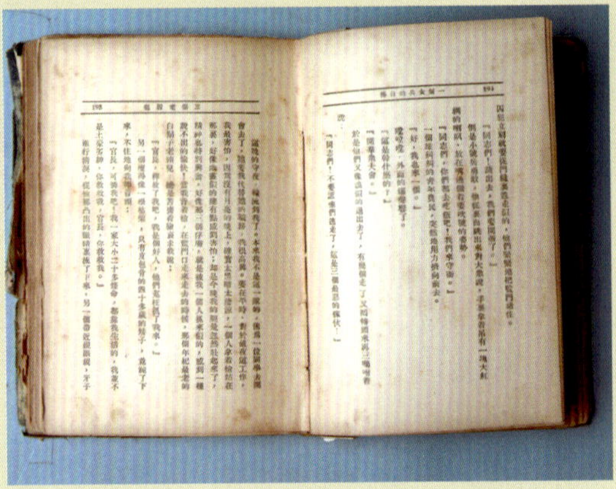

良友版《一个女兵的自传》内文

《良友文学丛书》新版出版说明

二十世纪三四十年代，著名编辑赵家璧在上海良友图书公司老板伍联德的支持下，历经十余年，陆续出版《良友文学丛书》，计四十余种。其中三十九种在上海出版，各书循序编号，后出几种则无。该套丛书以收入当时左翼及进步作家的作品为主，也选入其他各派作家作品。其中小说居多，兼及散文和文艺论著；第一号是鲁迅的译作《竖琴》。丛书一律软布面精装（亦有平装普及本），外加彩印封套，书页选用米色道林纸，售价均为大洋九角。

《良友文学丛书》选目精良，在现在看来，皆为名家名作；布面精装的装帧更是被许多爱书人誉为“有型有款”。不可否认，在装帧设计日益进步的当下，这套出版于二十世纪三四十年代的丛书外形已难称书中翘楚，但因岁月洗汰，人为毁弃，这套曾在出版史上一度“金碧辉煌”过的丛书首版已然成为新文学极其珍贵的稀见“善本”。

在《良友文学丛书》首版八十周年之际，为满足现代普通读者和图书馆对该丛书阅读与收藏的需求，我们依据《良友文学丛书》旧版进行再版（四种特大本不在其列）。本着尊重旧版原貌的原则，仅对旧版中失校之处予以订正。新版《良友文学丛书》采用简体横排的形式，以旧版书影做插图，装帧力求保持旧版风格，又满足当下读者的审美趣味。希望这一出版活动对缅怀中国出版前辈们的历史功绩和传承中国文化有所裨益，也希望广大读者多提宝贵意见和建议，以便我们把日后的工作做得更好。

《良友文学丛书》新版校订说明

一、本丛书收录原良友图书公司编辑赵家璧主编《良友文学丛书》共四十六种（四种特大本不在其列），乃为目前发现且确系良友版之全部。

二、此番印行各书，均选择《良友文学丛书》旧版作为底本，编辑内容等一律保持原貌，未予改窜删削。

三、所做校订工作，限于以下各项：

（1）将繁体字改为简体字；

（2）原作注释完全保留；

（3）尽量搜求多种印本等资料进行校勘，并对显系排印失校者在编辑中酌予订正；

（4）前后字词用法不一致处，一般不做统一纠正；

（5）给正文中提到的书籍和文章及其他作品标上书名号，原作书名写法不规范、不便添加符号者，容有空缺；

（6）书名号以外其他标点符号用法，多依从作者习惯，除个别明显排印有误者外均未予改动。

目　次

写在前面

这本书正如我的命运似的多灾多难，它是这样地难产，论起时间来的确有点惊人，在六年前就已经写好小学时代和中学时代的生活了；但那时我绝没有想到要出什么自传的，也许我把自己看得太渺小了的原故。我始终觉得像我这样平凡的人，实在没有出版自传的必要。去年暑假从日本归来经过上海时，良友的编辑要求我把它在良友出版，为了经济的压迫，我当时也曾想到如果回到故乡——新化——去住些时，也许在那寂静的简单的环境里，我可写一点过去值得纪念的生活出来的。谁知后来又跑去南宁当教书匠去了，在那种白天上课，晚上阅卷的时间中，不但没有写文章的心情，而且连写好了的一点旧稿，都没有时间来修改。今年回到长沙，我下决心要在三月底以前完成这部稿子，不料这可恨的脑病，又偏偏和我做对，每天写不上三千字就晕眩得抬不起头来；加以素来健康的特突然大病了一场，我一面要侍候他的汤药，一面又要招待来探望他的同事朋友和学生诸君，我那时心乱如麻，有时忙得连吃饭的时间也没有，自然，写文章这回事，早已置诸脑后了。

半月以后，特慢慢地恢复了健康，而我又病了！不得已，只好写信给良友解约不出版了，但良友方面说广告早已登载出来，不能失信于读者，所以只好匆忙地完成了自传的上部寄给他们。

当读者诸君看到这部东西的时候，一定会感到失望的，因为这只是我生活的一部份，而又因了写此书的时间先后相隔太久的原故，所以有许多地方不相连贯。最使我痛恨的，是在东京被难的那次，被敌人没收了三万余字的大学生活。我有这样的怪性：无论写什么文章，只能一次写成，如果遗失了再补写，这在我简直比上天还难。因此自传的上部就只写到漂流到上海为止。本来还想继续写点来到上海以后的生活，但为了病，只好中止，且留待以后有机会再写吧。

很对不起读者诸君，在本书第五章《家庭监狱》里，曾漏了一段比较有趣的故事，现在且写一点与它有关系的话在下面吧。

是去年的秋天，一个大雨滂沱的黄昏，有四位在南宁粤华小学念书的小朋友淋着雨来访问我，其中一个叫做唐少凤的忽然问我：

“我们很想知道你第四次逃奔是怎样实现的？”

我当时怔了一下，睁大了眼睛呆望着她们，竟不知要怎样回答才好。因为我想不到她会问我这么一个难题的。停了很久，我似乎很难为情地带着不自然的音调回答她们：

“这是一个很秘密的故事，我从没有向问起我的人公开过，但我今天要忠实地告诉你们，我是扮演了一幕新娘子戏才逃出来的。”

“是真的吗？那么用什么方法逃走的呢？”

她们一齐惊讶地问，这时我只笑了一笑，再也不开口了。一直等到她们着急得要跳起来的时候，才回答她们说：

“暂时给你们一个预约吧，过些时我将详细地写出来给你们看。”

究竟希望是能骗人的，虽然她们得到的是那么一个渺茫的预约，然而终于带着满意的，愉快的微笑而回去了。

这次在《妇女生活》上看到白薇坐红轿子做新娘的那段自传，我不觉哈哈地大笑起来，原来我还有一个同志！很想把自己那次演傀儡戏的经过也写点出来，但为了某种环境所限制，只好留待将来再补写。

我最佩服《邓肯自传》和《大地的女儿》，她们那种大胆的赤裸裸的描写，的确是珍贵的不可多得的写实之作。然而中国的环境不比欧美，甚至连日本都不如，

（林芙美子的《放浪记》，写她自己流浪的生活，和《邓肯自传》，《大地的儿女》一样坦白。）但我并不害怕，我将照着自己的胆量写下去，不怕社会的毁谤与攻击，我写我的，管他干什么呢？

三年来，我没有出版过一本东西，今年能够印出这本和《湖南的风》，都是特的力量促成的。我应该为他给与我的鼓励与安慰，更努力创作有力的作品，献给这将要来到的伟大底新时代！

冰莹一九三六，五月廿八夜于新化守图

第一章　幼年时代

祖母告诉我的故事

新秋的气候，似乎比夏天还炎热，晚间虽有微微风从破纸窗里吹来，但被抱在祖母怀中的凤宝宝（我的乳名）满身都是汗，白天被母亲用棍条打过的皮肤上，现着一条条的血痕，在银白色的月光底下照出她的脸是惨白的，忧郁的。

忽然间，她由抽噎而放声大哭了。

“小乖，我的宝贝，你再不要哭了，哭醒了母亲，她又会来打你的。”

祖母说着恐吓的话，轻轻地拍着宝宝入睡。

“我……我不怕打，她为什么不打死我呢？”

我的话说得很大，好像故意要使母亲知道似的；然而睡在隔壁的母亲，终于忍着气没有做声。

“宝宝，你以后不要淘气了，你娘为你不知受过多少苦。记一记吧，你把铜钱吞在喉管，不能吐出，又不能咽下，整整的一天，你像断了气的孩子眼睛翻白，口沫滚流，你母亲急得爬过了二十里的高山去请水师（医生），她在别人面前像疯了似的磕着头说：‘只要有人救出我的孩子，他要我的命，都可牺牲。’后来铜钱吞下肚里了，她又怕铜吸出了血，于你的生命有妨碍，又特地着人到宝庆去买了几十斤茨菇来给你吃，而且每次检查你的大便，看铜钱有否出来。又有一次你为了去弄屋梁上的燕子窝，从楼上掉下来，脸摔破了，气也断了，全身冰冷，完全失掉了知觉，你母亲急得眼泪双流，赶快一面请水师，一面跪在菩萨面前求灵水：‘神啊，我的凤宝宝如果有灾难，就降给我吧，一切我来替代她，只要保佑她康健，活泼，以我的生命去换取她一切难灾的吧！’这几件事，你总还记得吧？”

我停止了哭，静静地听着祖母说着关于我的故事。

“唉！我的心肝！”她长叹了一声，又继续着说：“你的确太淘气了，不知是什么变的。你娘自从怀了你的第一个月起，无论吃了什么东西，都要呕吐，即使喝一口水，吃一颗豆子也要吐出来。每天头昏腹痛，到了最后的两三个月，她几乎苦痛得要想自杀，但一想到还有三个儿子一个女儿要她抚养时，又只得转了生的念头。”

“这是她的生死关头，你要出世了！两天前，她就叫着肚子痛，不能起床；不要说吃饭，就连水也不能进口，在床上痛得打了两天滚，你的头忽然从里面出现了，我以为孩子立刻就会下来，怀着满腔的希望，眼睛睛地等着接生，谁知候了一天一夜，长满了黑发的头还在原地方。你娘的精神，早已不能支持了，你父亲又不在家，我一个人守着她，一步也不敢离开，更没有什么办法可想；后来好容易托六祖母请了接生婆来。唉！提起接生婆真气死人，以前你娘生了四个孩子，都没有请过接生婆，而且每次至多不过半个时辰（一小时）就下来了，谁知道这次生你经过一天一晚还是生不下，接生婆来看了只是摇头：‘没有希望了，你们还是早点预备后事吧。’这样的话，她居然也说出来了，六祖母坚决要接生婆将孩子弄出来，她说：‘无论如何要救出大人；牺牲小孩，是毫无关系的。’我那时急得全无主张了，倒是你母亲还清醒，她凄咽地对我说：‘妈，你赶快替我在南岳圣帝面前许炬香吧！如果生的是个男孩，他满了十六岁就去还香；要是个女孩，她二十岁时，我亲自带她去还。’于是我听了她的话，就跪在南岳圣帝面前许了‘血盆香’，（注：我乡的迷信，凡是孩子难产的，要在衡山的南岳圣帝面前许‘血盆香’，还香时需着红衣红裤，头上缠红巾）果然快到天亮的时候，哇的一声，你就落地了。你的声音特别洪大，满院子的人几乎都给你惊醒了！你的眼睛像两盏灯笼一样亮晶晶。眼珠转动得特别快，一双小拳头和两条腿动个不停；六祖母叹息着说：‘可惜是个千金，要是个男孩，一定会做大官的，你看这一对活溜溜的眼睛。’你母亲很不高兴地回答她：‘儿子和女儿，都是一样的。’由此，你可知道你的母亲，虽为你吃了不少苦，可是仍然痛爱你的，宝宝，以后再不要使她难过了，你要体贴你娘的辛苦和慈爱呀!”

六岁的我，静静地听着，祖母生怕我睡着了，其实我很清楚，脑筋里一面演映着母亲难产时的惨状，一面深深地刻着白天母亲第一次拼命鞭打我的情形。更有趣的，我怀疑刚才祖母叙述六祖母的话，也许就是她自己说的，不过为了祖母太爱我，也就不和她算账了。

——哼！母亲既是爱我的，为什么要重重地打我呢？孩子不是人吗？她没有自己的主意吗？大人的每一句话，她都要服从的吗？

这几句话老是在我的脑海中萦绕着。是的，我是个淘气的孩子，我使母亲常常生气，母亲可以支配很多人，甚至可以支配整个谢铎山（我的故乡）底男男女女，老老幼幼，但是驾驭不了我——淘气的小怪物。这是母亲最不高兴的一件事。有时她气愤到了极点，就恨恨地对父亲说：“你带她永远离开我吧，这孩子不像我生的。”或者说：“早点嫁了她吧，免得麻烦。”

可怜的凤宝在三岁的那年，就许配给一位父亲的朋友底儿子去了，躺在慈母怀里的小生命，谁会料到她一生的命运，已经安排好了呢？

我的家庭

父亲是祖母的独生子，他生长在一个极穷困的雇农家中，祖母常常告诉我们关于她嫁给祖父的故事。

“我的娘家虽然很穷，可是来到你家就更现得穷了，不但没有饭吃，简直连碗都找不出两个来。”

“这话怎么讲呢？”

当我最初听到时，总是这样问她。

“待我慢慢地告诉你吧，你曾祖父共有六个儿子，你祖父行二，当他临死时，每个儿子分一升米，一条凳，一只碗，这就是他的遗产。你祖父不是也只能分到一只碗吗？那么我来了怎么办呢？”

“去买一个来呀！”

“是的，因为你祖父是个忠厚而努力工作的农夫，因此他每替人家做工，主人都待他很好；他赚了钱，不但可以买碗，而且他将每年的工钱慢慢地积起来，后来就娶了我。我来到这里之后，每天替人家洗衣服，做苦工，也可赚得一点米，慢慢地自己可以买套耕具了，再向人家借一点买了一条牛，于是我们就租了几亩田来耕。唉！说到耕田，我就记起你的父亲了。他那时还只有七八岁，可是特别爱读书，每天放牛时，总是偷偷地带本书藏在怀里，到了野外，他就坐下来看书，不管牛走到了什么地方，或者吃掉了人家的麦子，青菜，豆子……一概不管，有一次牛失踪了，他吓得一天不敢回家，哭得死去活来；第二天邻居替他找到了，你祖父问他为什么这样粗心，他回答说因为看书忘记了牛。从此，你祖父知道这孩子不是个牧牛郎，生来就是个书呆子，于是就允许送他读书，只要他努力，将来还可送他去考状元。你父亲听了这句话，简直喜得发狂！他整天整夜的读书，没有月亮的晚上，就用松枝点着看，有时连手指都烧枯了，皮也烧掉了，他还是不知道。辛卯年赴省会考，没有衣服穿，就拿我的破衣穿在里面，另给他做了一件新的罩在上面，你祖父替他挑担，店铺里都把他当做仆人不理你祖父，后来你父亲中了举人，谁也没想到这位挑夫，就是举人的爸爸，哈哈！”

关于父亲的故事，我知道很多，张之洞办两湖书院时，他曾在那里读过书，他的思想完全与孔孟一致的，他喜欢研究宋儒之学，主张明哲保身，一生不曾与政治发生过关系；当满清末年，两广总督魏午庄保荐经济特科六人赴京时，五人都去了，独父亲不去。他是提倡旧道德最有力的一个人，对于父母不但绝对服从，而且孝顺之思也许比曾子还要过。他对于无论什么人都是谦恭和顺，因此没有人不喜欢和他亲近的。对于儿女，在读书做人方面，比严师还要督责得厉害，可是论到慈爱，他比母亲还温柔可爱。奇怪得很，他的脑筋，虽然绝对是旧的，可是也并不反对新的；比方二哥他们在中学读英文，他也同样地要他用功，他做了二十七年的新化县立中学校长，各种学科都请了新毕业回去的教师讲授。可是另一方面他仍然极力提倡古文，拥护旧道德；因此幼小的我，在父亲的怀抱中，就要开始念诗，读古文了。

母亲呢？她的个性特别强，她是个天不怕，地不怕的勇敢底女性。

外祖母没有儿子，只有三个女儿，她是最大的，家事全由她处理。十六岁嫁给父亲后，便在谢铎山大出风头，她是个绝顶聪明，而又富有办事材干。她的脑筋不用说是充满了三从四德，男尊女卑的观念，重视旧礼教，胜于看重自己的生命。她是谢铎山的莫索理尼，不论在家庭，在社会，她完全处在支配阶级的地位。乡村里的大大小小，几乎都要听从她的话，地方上的公产也由她保管，为的是她不揩油，热心公益事业；村政上更是少不了她，一件什么事情发生了，乡长会议解决不了的，只要请她去说几句，便什么问题都没有了。

她生来就具有一种不屈不挠的精神和坚强能干的性格，因此谁都害怕她，服从她。这么一来，她便不但在地方上成了霸王，就是对待儿女，也像君主对待奴隶一般，需要绝对服从她的命令，听她的指挥。有次大哥为了带了他的妻到离我家五百里的益阳去组织小家庭，事前没有得到母亲的同意，她立刻把大哥找回来罚他在地上跪着，头上顶着一大脚盆水，如果稍为动一动，水倒了下来，母亲就要打他的屁股；以后经许多人劝解，才将脚盆取下。二哥为了要和他的凶恶的，毫没有感情的小脚老婆离婚，母亲拍着桌子大声骂道：“你这东西，读了书回来做这种没廉耻，无道德的事，难道真的不顾祖宗的面子吗？你要离婚，先杀了我再说！在我没有死以前，绝对不许有这种丢脸面的事发生。”二哥知道母亲的个性太强，如果离婚，就要牺牲她的性命，因此只好忍着苦痛，一直到吐血死了为止，他还是孤零零地没有和第二个女性结合过。至于姐姐更是如小羔羊一般驯良，在母亲面前，连话都不敢大声的。十八岁嫁给一个姓梁的，受尽了丈夫和翁姑的虐待，可是她回到家来，总是故意说她的丈夫如何待她好；她知道假若不这样，母亲反要骂她不会侍候丈夫的。好几次遇着她在厕所里流泪，或者晚上从梦里哭醒来。三哥也是服从父母之命的，可是他比二哥强，有时虽然也会和母亲吵起来，但他要做的事，总有方法感动父母使他们不能反对。至于我呢？太惭愧了，我完全是个叛逆的孩子！

黄金的儿童时代

我是母亲最小的孩子，姐姐比我大十岁，她在我刚满八岁的那年就出嫁了。三个哥哥有两个随着父亲上新化县城读书去了，大哥已经做了教师，他们一年回来两次，寒假和暑假是我们团圆的时候。母亲每年冬天都要准备许多干鱼，腊肉，等他们回来吃。我很羡慕他们那种做客似的生涯，每次接到父亲和哥哥们那天回家来的信时，母亲总有一两晚快活得不能睡觉，她煮好了饭菜等着，替我换了一件干净的衣服，并且每次都这样说："乖乖，不要弄脏了，爸爸回来了会买糖你吃，哥哥还要给你许多玩意儿呢。"

从县里到我的家里有九十里路程，要爬过两座高山，父亲坐着轿子，还雇了一个挑夫，二哥和三哥总是穿着短衣和草鞋跑路，像个挑煤炭的孩子，走得气喘喘地。

从下午五点钟起，母亲就牵着我的手站在门口盼望了，一直要到暮色苍茫的时候，才看见远远地有顶轿子跑来。

"乖，你爸爸回来了！"

母亲连忙走回去准备开水泡茶，我同小黑狗赛跑似的走到半里远的地方去迎接，父亲照例在近我家八里路的地方就要下轿来走路的，理由是台上住着些长辈，而且祖宗的坟墓都在那里，他说这是应该下轿的。

"爸爸，糖呢？"

我像小猴子上树似的两只小手抱紧了父亲的颈项，小黑狗也在摇着尾巴向父亲扑来，二哥用棍子打它，父亲连忙说着："不打它，不打它，它像宝宝一样欢迎我们呢。"

于是连挑夫也笑起来了，只有我呶着嘴不做声，我不高兴父亲把我当做小狗看待。

每次去接父亲，总是他抱着我回来的。冬天，他一进门就用皮袍裹着我，生怕我受了凉；哥哥们忙着给我许多玩具，这些都是他们自己做的，有小盒子，麻雀，小船，笔筒，还有蓝色的墨水瓶，从化学室里检来的断了一节的玻璃管子。我最爱这些玻璃管子，到了夏天，捉了许多萤火虫来装在里面，它们上上下下，好像一条金龙在蠕动着，闪烁着，怪有趣的！

父亲除了买给祖母一些好吃的糖外，还要特别为我买一种美丽的中间夹着胡椒的小圆饼带回。妈妈生怕我通通拿去分给别的孩子们吃了，总是由她收起来，每次发给我几个，可是我从祖母那里拿来的糖，她却不知道；有时自己偷一些敬客的点心装在袋子里，到外面去分给每个小伙伴吃。

母亲有一次因为忙，没有在一件旧衣服上面替我缝袋子，但我非要她立刻做好不可，那次为了这事，她用棍子追着打我，我逃得很快，她的小脚无论如何也追不上，她喝令我“站住!”但我反而跑的更快了，突然，噗通一声，她摔倒了，两只小脚浸在泥田里，拔了很久还拔不出，怪可怜的！趁着这时，我逃了回来，喊嫂嫂救我。不久，母亲回来了，她把我关在一间黑房子里，用有刺的棍子毒打了一顿。这就是祖母告诉我几个故事的一夜，我因为受了伤才跑到祖母的床上来睡的。

父亲最喜欢栽花，在我家的屋后有一座小小的花园，里面栽着春夏秋冬各色各样的花，柚子，柑子，樱桃，李子，桃子，枇杷……什么果树都有；翠竹和苍松特别多，有刺的玫瑰，鲜红的蔷薇，开得满园灿烂，黄莺儿整天啼个不住……这美丽的花园不知给了我多少的快乐和希望。

父亲在家里的时候，白天总是在花园里过活，不是拔草，便是拿着水壶灌溉花木；晚间在豆大的煤油灯下教哥哥读古文，教我吟诗，母亲和嫂嫂纺着纱，父亲的吟诗声常常和纺车声打成一片，合奏着一种令人沉醉的音乐。好几次我就这样躺在父亲的怀里睡着了，等到第二天醒来，父亲要我背诗时，我红着脸儿回答他："爸爸抱宝宝，宝宝睡着了。"

"这是谁教给你读的诗?"父亲恼了，但我知道是假的，因为爱我的微笑正挂在他的嘴边呢。

"宝宝自己。"

说着，我像小麻雀似的溜跑了。

春天来了。

田塍上长满了青青的草，红红白白的花，溪水潺潺地流着，田蛙阁阁地叫个不休，这正是农家插秧，孩子们捉鱼虾的时候。每到春天老是下着濛濛的细雨，耕田的农夫们总是这样穿着簑衣，赤着脚，湾着腰在田里从清早做到天黑。我看到长工用小草穿了几条小鲫鱼回来，就知道我出去玩的时候到了。

我也和他们一样，脱了鞋袜，带着斗笠和几个玩皮的男孩子出去了。在黄浊的溪水中，我们争着捉虾子，捕小鱼，有时溪水流得太急，捞不着什么东西，他们就商议去田里偷鱼，因为农家的副业，便是养鱼，只要不遇着人，偷几个小鲫鱼是没有问题的。但我那时的目标不在鱼，而在虾子和螃蟹；并且也不高兴做小偷。我还喜欢田螺，为了拾这东西，腿上常被马蝗咬出血来，每次哭着回来挨母亲一顿大骂，衣服全弄湿了，脸上都溅满了泥浆。

“你知道你是个女孩子吗？为什么也和他们出去鬼混！”

“难道女孩子就不能出去玩吗？”

“不能出去，只能坐在家里玩。”

“不……”

接着，是母亲的骂声，和我的哭声打成了一片。

采茶女

母亲因为我太不听话了，白天总是在外边玩，不肯规规矩矩地坐在家里，她就给我一件苦工做：每天吃了早饭，就到茶园里去采茶。从我家到茶园有两里多路，中饭是用小篮子盛着，着人送去的，我和嫂嫂还有许多采茶女，都要到黄昏时候才能回家。

我没有采茶的经验，常把一根一根的枝弄断了，嫂嫂急得跳起来说：

“妹妹，你还是去捉你的蝴蝶吧，不要弄坏了茶树，母亲知道了，又会骂你的。”

“不，我一定要采，难道你生来就会采的吗？还不是学来的。”

她是最拙嘴的人，常常被我说得没有话可答，这回她又失败了。

与其说我在采茶，不如说采花还来得洽当。每次回家时，我的小篮子里老是装满了花，当经过一座五丈多长的石桥时，我就将花丢在桥下让水流送到洞庭湖去，还要嘱咐它一声：

“花呀，你流到龙王那里去吧，美丽的公主，正要等着做新娘子呢。”

小时候，一个替姊姊做嫁奁的木匠告诉我，龙王的女儿是个最漂亮的姑娘，现在还没有出嫁，如果到她结婚的那天，全地球都要涨大水，所有的人都要浮在水上，我高兴看那白茫茫全地面都是水的一幕，因此希望龙王的女儿早点出嫁。

采茶的女孩，大半都是童养媳，他们的生活苦极了，每天至少要采一百三四十斤的茶叶，而所得的工资只有几十个铜板，这些钱都要交给她的婆婆保管，如果自己留下一两个私用，给婆婆查出来了，便要用烧红了的铁钳烙她的全身。她们很少吃过一顿饱饭，不是吃红薯，便是吃很粗的麦子粑；除了过年，从来没有尝过一片肉的滋味，她们瘦得像骷髅一般，来到茶园，就大家互相诉述着自己的婆婆是如何地凶恶，如何地压迫自己，说到伤心处，眼泪一吊一吊地滴在茶树上，正像一颗颗晶莹的露珠。

“她这样虐待你，你为什么不逃走呢？”

我对一位脸部被抽得一条条血痕的小姑娘说，她的名字叫春香。

“逃走？那里敢呵，我娘害了我，此生只能死在她手里了！”

接着又是一阵凄惨的哭声，我也陪着她流泪了。

“哭也是空的，你还是赶快采茶吧，天黑了，没有两百斤茶回去，又要挨打，唉，何苦呢？”

另一个大一点的秀英这样劝她。

“唉！只怪得我们的命太苦，生来就过着牛马不如的生活，就这样苦到死吧，下世总会做好人的。”

莲妹子的眼睛早已哭肿了，但她还在自己安慰自己。

从此我知道了一点点人生的苦痛，我常替这些童养媳抱不平，每次采茶时，我总帮助她们工作。

黄昏近了，黑幕慢慢地垂了下来，我们收拾茶刀，凳子和茶筒，背起篮子来唱着：

三月采茶茶叶青，
姊妹双双绣手巾，
两边绣起茶花朵，
中间绣着采茶郎。

的山歌归来。

纺纱的姑娘

秋风吹来了丹桂的幽香，月姐放出清朗的光辉，星星在天边闪烁，孩子们在坪里和影子赛跑，捉迷藏。我呢？八岁的小姑娘，已经开始做大人的工作了。

和我一同在月下纺纱的，除了嫂嫂而外，还有两个外房的姑母和邻居的箴姑娘。

凡是生长在我乡的女孩，到了七八岁的时候便要教给她纺纱，绩麻，做针线。贫苦的替别人纺，每斤的工价是二百文，纺得最快的，每天最多纺四两，普通的二两，三两。平均起来，一天只赚得三四个铜板。我是替自己纺纱没有一定的限制，母亲说："只要你纺得多，自己家里种的棉花，如果还不够供给你时，就到蓝田市去买些来。"

"不，我不高兴纺，我穿不了这多布呢。"

我对妈妈说。

“不是你现在穿的，是准备你的嫁衣，只要你发愤多纺，将来抬二十箱衣服到婆家去。多么阔气呀！”

那时虽然早已知道我已经在含着妈妈的奶子时，就许配了人家，但我并不懂得这是什么一回事，也不知道痛苦；听了母亲的话，就很高兴地纺着纱，尤其在月下干这工作，实在再快活也没有！冬天在房子里纺纱，有种种不方便，譬如母亲为了省油没有点灯，借着火光照着，总是感到黑暗，背部也觉得寒冷。秋天的气候既温和，月光又特别纯洁，清朗。再加以祖母讲着牛郎织女，月里嫦娥，王母娘娘……的故事，便提起了我们纺纱的兴趣，有时听故事听入神了，大家不约而同地停止了纺车，争问着“结果呢？”

“结果呢？偷懒的小姑娘都停止工作了。”

祖母这个幽默的结论，引得大家都哈哈大笑起来。

攸扬的纺车声，在夜阑人静的深夜里响着，恰似空谷的琴音。微风从我们的头上轻轻地掠过，还带来了一阵阵的花香。沉醉了，我们是这样沉醉在美丽的夜色中。

痛苦的第一声

妈妈从外面听来了些关于我的闲言。说我这大年纪还不裹足，将来婆家一定不肯要的。而且八岁的姑娘，常常和男孩子在一块做泥菩萨，抛石子，当司令①，也太不成体统了。她们说，古时的规矩，男女四岁不同席，我母亲是读了书的女子，为什么连这一点规矩都不懂呀？

说良心话，母亲是很爱我的，她觉得自己小脚太短了，走起路来很不方便；姐姐的小脚是她亲自替她裹的。像红辣椒一样，在她看来虽然美丽，可是走两步，便要扶墙摸壁，未免有点近于残疾，因此她决定迟一点替我裹足，免得像姐姐一样把骨头弄断了。可是她又想着，如果这时还不开始裹，骨头一天天发育起来，就难以希望裹成小脚了。这是我故乡的风气，脚大的女孩，不但没有人娶，而且无论谁看见了都要骂一声：“你娘死了吗？蒲扇大的脚，真丑死人！”

当妈妈要我做一双小尖头红鞋挂在观世音菩萨的香炉上时，我不懂得是什么一回事。

“宝宝（我长到十几岁了，妈妈还是这样叫我的），今天要替你裹足了，你来拜观世音菩萨吧，神会保佑你裹得很小的，像神的一样。”

妈妈手里点着香，烧着纸绽，只等我去下跪了。

“妈，我不裹足的。”

我站得远远地望着她不敢走拢去，两颗豆大的泪珠，

---

① 我那时把村里的小孩编成一队兵，天天持着棍子操着一二三四，我自己称司令。

突然掉了下来，我的心开始尝到害怕和苦痛的滋味了。

“快来，快来，菩萨保佑你！”

她过来把我拖去跪在地上了。

呵！原来她一切都准备好了，尖尖的鞋子，前面绣了两朵梅花，三寸宽的，无限长的蓝脚布，我望见了就发抖。我仔细地拿起花鞋来看，是朱红绸子做的，薄薄的底，非常美丽，我不知道母亲在什么时候做好的，从来没有看见她绣花鞋。

“妈，裹脚太痛了，我不能走路的，你不要害我吧。”

我又带着恐怖的哭声哀求她。

“裹脚是爱你，不裹脚才真是害你呢。你想想大脚姑娘怎么嫁得出呢？”

母亲一面说，一面用口含着在观音菩萨那里讨来的所谓“仙水”喷在脚上，还散了些红灰在脚趾缝里，我这时便大哭大闹起来。

“妈，痛死了，我宁可永世不嫁，不愿意裹脚呵！”

“你这小东西，还没裹就叫起痛来，偏要给你裹紧一下看。”

带子已经缠上脚了，但为了我的脚在乱跳，手也不住地把母亲手里的带子抢来抢去，把鞋子丢在地上，妈妈气极了，忙叫嫂嫂来捉住我的手，先从左脚裹起，右脚被夹在母亲的腿下。我像一个被绑入刑场的囚犯一般地乱叫乱喊，使得邻居的人都跑来看热闹。六祖母一走进门便说着：“好乖乖，不要哭，裹好脚了，我背你去看耍猴戏去。”其余的人都望着我傻笑，但没有一个是同情我，为我的哭声所感动的。唉！她们都是母亲一伙的人，她们都是刽子手。

两只脚穿上了红鞋后，我的全身已失掉了知觉，母亲抱我下地来试步，我感到打断了骨头一般的痛楚，不由得哇的一声哭了出来就倒在地上了，……

从此，我每天只能坐在火炉边纺纱，或者在堂屋里慢慢地散散步，我像带了脚缭一般的不能走动，再也看不见美丽的花草和活泼的鱼虾了。

花朝节的那天，母亲趁着我熟睡的时候，在我的两耳上钻了两个孔，我从梦里痛醒来时，她已吊上两根红丝线了。

“好，现在你的三件大事，我已做了两件了。”

母亲很高兴地对我说。

原来她认为替女儿做的三件大事是：

（一）裹足

（二）穿耳

（三）出嫁

“是的，还有一件杀我的工作没有做。”

我这样气愤愤地回答她，害得她又大骂了一顿。

姐姐出嫁的那年，母亲借了债来，大办其嫁奁。请花娘来制了十六套绣花锦被，还做了三十六抬木器，其中有八大箱子的衣服和鞋袜，什么东西都绣上花。姐姐从八岁就绣花，一直绣到十八岁她出嫁的那年，没有出过房门一步，整天关在一间小屋子里，从早晨六点开始，一直到下午六时才得停止；晚间又要纺纱，可怜的她，累得喘不过气来，也不敢向母亲诉一句苦，只是暗地里叹息。

母亲自然很希望我像姐姐一样多绣些花，将来好抬到婆家去，但我告诉她："什么东西都不要，我只要读书。"

"哼！女孩子也想读书吗？真是天翻地覆了！读书是你哥哥他们的事，你是生来就在闺房中的。你想，一个女人读了书有什么用呢？现在又没有'女状元'可中。"

尽管她如何反对我读书，然而后来我终于进了学校。

小脚姑娘时代的作者

第二章　小学时代

我幼时的学校生活

我的故乡是一个交通不便，风气闭塞的农村。起伏着的山峦环绕着整个的乡村，由资江流域发源出来的一条小河，终年不息地流着，溪水更是潺潺地奏着美妙的歌曲。一到春天，打开窗子，就可望到蔚蓝的天，葱翠的山，美丽的花草，在天空里翱翔着的小鸟儿，的确，这是个山青水秀的乡村，令人陶醉的仙境。

在这儿住着二百多人家，男人的职业除了耕种外，最大多数是挖煤，新化是中国的产煤地，而锡矿山的锡，更是世界有名的。

挖煤的人，不分昼夜地过着“四脚爬”的黑炭生活，他们不但皮肤被炭染黑了，连鼻孔内，耳朵里，嘴里，甚至吐出来的痰都是黑的，因此绅士阶级，老是瞧不起他们，骂他们为“黑肚子”。

女子的脚，都是三寸金莲，穷苦的通通被嫁做童养媳，环境稍为好一点的，一到十五六岁便出嫁了。她们每天除了做家庭间一切烹饪，补洗，抚养孩子的工作外，还要帮助丈夫去野外挖土，拔草，种菜……可是他们从没有去过煤山，据说里面的炭坑夫都是裸体的，因此不许女人进去。

在这乡村里生长着的女孩，自然谁都不要梦想着进学校。虽然离我家半里路的地方有一个私塾，可是那是专为男孩子设立的，女孩子连门槛都不要想跨过去。

近视眼先生

我在五岁的时候，就开始识字。父亲是一个旧文学家（著书三十余种）他每年寒暑假自学校归来时，就教我读诗，其实我那时有很多字不认识，至于理解语句的意义，更谈不到，我只知道像跟祖母唱《月光光》一般地学着父亲的腔调吟诗，八岁的时候，那本《随园女弟子诗》和《唐诗三百首》我背得一半了。此后一天天我认的字数增加起来，母亲总是教我读些《教女遗规》，《烈女传》，《女儿经》之类。奇怪，我不明白为什么每次母亲教我，我总感觉枯燥无味的，我不喜欢读这类的书。我开始要求母亲送我进私塾。她说女孩子是不要进学校的，只要多认识几个字，多了解几个贞妇烈女的故事，会记帐，会看契约便得了。原来她是希望我将来做个好的管家婆的，但当我十岁的那年，终于因了我好几次的请求，她允许我进了那个私塾。

真想不到女孩读书是如此困难的，不但教师不肯收留，而且外边也有很多人反对。在我的故乡，他们是从来没有看见女孩子读书的，何况又是和男子同校？尤其反对最厉害的，是那位塌鼻子绰号尖嘴婆的女人，她是老幼皆知的泼妇。她有一个独生子也在那个私塾读书，一听到我要去，忙着四出宣传，说女孩子和男孩子同学，一定所有的聪明都会被女孩偷去了，男孩将一个个变成愚蠢痴呆的傻瓜；同时责备母亲太不懂规矩了，男女有别，这是谁也应该知道的，何况我又是个这么大的姑娘。一般人虽然同情她的话，只是在背地里议论，因为他们都害怕母亲，所以不敢当面来阻止我的入学；尖嘴婆就不然，她的胆量很大，什么人都不怕，她居然跑来和母亲捣乱，要她不送我读书，或者请个老先生到我家里来教，否则她说可以马上把学校解散。

母亲自然比她更厉害，听了她的话，反而要更快地送我去那个私塾读书。她气愤愤地大骂了尖嘴婆一顿后，立刻提着篮子，拿好香纸，（注：这是拜孔子用的）送我进了私塾。教师因为母亲是谢铎山的权威者，虽然不愿意，却不敢开口说半句拒绝的话，连忙微笑着收容了这个唯一的女弟子。

举行了孔子遗像面前四拜，先生面前两拜的仪式后，我就做了正式的书童。

先生是个近视眼，他教书时，完全将脸部贴在书本上，有时字小一点的，像《论语》，《孟子》之类，他简直连鼻子都被书压扁了。最使人感到讨厌的，是他滴在书本上的鼻涕和口水。每个学生的书，都被他弄脏了，有时他看得过意不下去了，也间或用自己的衣袖揩去，并表示歉意，但学生没有一个原谅他的，大家替他取了一个绰号叫做脏瞎子。

他的床就摆在我们的教室里，一床黑被窝从来没有看见他铺过。常常有一股臭得令人作呕的臭气，从他的身上发出来，我们只敢背面说着他一世没有洗过澡的话，等到见了他的面，就吓得不敢做声了。

因为我是个女孩子的原故，所以没有和他们四十多个男同学坐在一块。我的位置在先生的对面，因此每天早晨背书，点书，都要经过我的眼睛和耳朵，有些书没有读熟背不出来的，我就替他提句，为了这，也曾经挨过好几次骂的。

这一年我读完了《女子国文》八本，《四字女经》一本，还偷读了半册《幼学》和《论语》，但并不懂得那些书里面说了些什么东西，因为先生从来没有讲解过的。近视眼先生在母亲的面前极力夸奖我的天资，但接着他又叹了一口气说："可惜太跳皮了！"母亲听了自然非常不高兴，因为她是希望我"逃学"或者读不进，以便借口停止我的求学的。

我比谁都要讨厌近视眼先生，因为普通女孩子的习惯，的确要比男孩子好洁净，他们的书上常常涂些墨渍，而我是用白纸包好了书面，里面除了先生点的红笔外，什么污点都没有的，但是每次当他点书给我读时，十回总有九回滴了口水或者鼻涕在上面的。

“先生，你把鼻子医好了再来教我的书好吗？”有次我居然敢这样说他。

“怎么？你说什么？”他抬起头来大吼了一声，吓得我几乎从凳子上跌了下来，同学们都望着我哈哈大笑。

是在一个刚下过一阵暴雨后的初夏底黄昏：散学后，他照例要到老屋去，听说他有个姘头在那里，每天下了课后都要去找她的，我正为了他弄坏了我那本新书，愤恨的了不得，于是想了个害他的计策。

下了雨后，什么地方都是水，尤其水洼里贮得满满的。坪里的凹处贮积着的水正像一丘丘的小田。同学们摘了竹叶浮在水上当作帆船，捉了虾子小鱼来养在水里，他们都很高兴地玩着水，我却在这快乐的一刹那起了犯罪的念头。

是在大家准备回家的时候，先生正在打一个同学的手心，其余的都围着观看。我偷偷地从人群中溜了出来，走到后房里用筛箕盛了许多谷壳散在水凹里，谷壳是轻的，散下去，立刻浮了起来。一会儿，“散学”的命令下了之后，同学们都蜂拥般挤了出来。先生也锁上门在我们的后面走着。

“喝！路还没有干，我忘记了穿钉鞋。”（乡里没有皮鞋，只有钉着篾钉的钉鞋）他边说边回转身去开门。

“不要穿钉鞋，先生，路上散了谷壳呢。”一个很老实的同学这样告诉了他。

“也好，省得麻烦。”他又回转身来了。

突然，“噗通”一声，他踏在水凹里了，而且因为他的脚步特别来得沉重的原故，污水溅满了一身，连脸上都是泥浆了。

“那个？这是那个小鬼作的事？快转来，通通转来！”

他气愤愤地怒吼着，近视眼几乎气得要掉下泪来。可怜那些胆小的同学，吓得拼命地跑的跑，叫的叫，一时秩序大乱，闹得远近的男女老少都跑拢来看这幕莫明其妙的滑稽剧。先生脸上的泥浆，因为用手揩了的原故，越来越多，完全成了个泥菩萨，只有两个眼珠子是干净的，这时大家都转惊为喜了，格格地笑个不住。

“都转来，非把这混账东西查出来不可！”他又厉声地吆喝着。

没法，我们只好都转来。那时一个个面如死灰，你望着我，我望着你，只有我倒是不慌不忙地态度很从容。

一个个审问完了之后，就轮到我了。

“凤姑娘，一定是你干的。学校里只有你一个人跳皮，他们是不敢的！”先生一面洗脸，一面斜着他的近视眼看我。

“那真是笑话，男孩都不敢，我难道敢吗？至于说我跳皮，先生有什么证据没有？”我的声音特别来得响亮，而凶恶，意思就要使他想到：“也许错怪了她吧？”

“刚才我们看见先生打福宝时，她一人走出去了。”一个同学在向先生告密了，可是他不过怀疑而已，并没有看见我的行动。

“是的，我去厕所去了，怎么？”我恶狠狠地睁着两只大眼望着他。

“老实招出来吧，不是你，是谁？”

“我怎么知道是谁。哼！老实？从来我就没有说过谎。”

“你会说话，一定是你干的。”

“有谁看见没有？”我也气愤了。

“快说出来！”

“我说你做贼，你承认吗？先生。”

“你这家伙真厉害！”他拍案大叫起来。

“不，先生，我是人，不是家伙，我说那句话不过是说明一个人不能受冤屈，没有干的事，他当然不能承认。”

“好，明天再来审吧。”

就这样，他放我们走了。

归途中，大家都在议论着这到底是谁干的勾当，也有哈哈大笑而大叫痛快的，也有说：“不过太可怜了，他只有一件衣呢。”更有趣的是六麻子的话：“只有一件衣到不要紧，只是等死了他的野婆娘！”

哈哈哈！又是一阵笑声。

最倒霉的，是那位忠厚的承兰了。因为他叫先生不穿钉鞋，显然是他干的勾当，但天知道，顽皮的孩子就在老实人的后面呢。

未成功的自杀

冬天，接到大哥自长沙写给母亲的信，里面有几句话是关于我的：

“凤妹天资异人，深堪造就，明春可送其赴大同女校求学，以为将来考女子师范之准备。近年来女禁开放，学校林立，吾家素以书香传世，谅慈母不以妹为女而见拒也。”

我感谢大哥，我真不懂那时他何以这样待我好。我的前途有光明的希望了！我快活，我简直一夜未曾合眼，我只想早点过了年就去大同女校。“到了那里我更要努力读书，我要读比哥哥他们还多的书。”我时时这样梦想着。

这时父亲和二三哥都没有回来，姐姐带着孩子在家，整天哭丧着脸，为的想要雇一个奶妈而母亲坚持不许。

“妈，我明年春天一定要到大同女校去读书。”

一天晚上，母亲在炉边纺纱，姐姐抱着孩子在喂奶，我读一会书后忽然想起大哥的信来这样诚恳地对母亲说。

“还想读什么书？女孩子读了像你这多的书，已经很够了。你又不是男人，要读那么多书干什么？”她完全没有把我的话放在心头，只是不耐烦地教训了几句。

“大哥不是来信要送我去大同女校吗？”我的声音更温柔了。

“他懂得什么？女孩是娘管的，你明年要开始绣花了，脚也没有裹小，将来嫁到婆家去，他们一定说做娘的没教训。”

“妈，我要读书，我不是一个和哥哥他们一样的人吗？”

“笑话！一样的人！他们读了书可以做官赚钱，你是女孩子，只能做个贤妻良母，侍奉翁姑，管理家产，试想想，你读了书有什么用处？”

我那时的确说不出要读书的“所以然”来，我也并不懂得什么男女平等，更不知道女子读了书究竟能在社会上做得什么事，我只觉得我需要读书，我需要知识，正像我需要吃饭穿衣一般，我不懂女子为什么生来就只能做人家的老婆，替丈夫生儿子，受公婆的虐待，正像姐姐一样。

豆大的两颗晶莹的泪珠，从我的眼中掉下，嫩弱的心早已在颤抖了！我想不到母亲是如此对待我的。她的凶恶的面孔，我还是生平第一次见到呢。

“况且你是这样不像女孩，”母亲斜视了我一眼继续着说，“你比任何男孩都恶，你看学堂里没一个不说你玩皮的，先生这样厉害，都拿你莫可如何，再读下去，简直要上天了。”

从此以后，我不敢提到我的读书问题了。我知道母亲是不讲情的，惟有等待父亲回来，也许有希望。但是父亲又是那样地害怕我的母亲，什么话都听母亲的，于是对于读书，我是完全绝望了。

春之神来到人间，一切生物都在蓬勃地滋长，万物都转了生机的时候，我却准备着踏上死之途程。

起初是经过父亲和祖母的婉劝，要母亲送我再读半年，她却誓死不肯。后来又经过姐姐，嫂嫂，姨母们的请求，她仍然不答应。当我知道再没有希望的时候，于是便下了自杀的决心。

在乡村，我所知道的自杀方法，只有下面几种：

（一）吊颈，（二）投河，（三）吃火柴，（四）吃鸦片烟，（五）吞戒指，（六）用刺刀刺破喉管。

小孩究竟是小孩，想自杀而又怕痛，真是有些滑稽！我那时天天计划着用什么方法去自杀，结果是第一，我想起了那次看到裔笛嫂吊颈死时，舌头吐出来的惨状太可怕了，因此不敢。第二投河的，肚子会被水胀得像鼓一般地大，而且会给男人脱出衣服把水抽出来，我不愿这样做。（可怜那时我的脑子里已中了封建思想的毒）第三火柴的气味太难闻了。第四没有方法买到鸦片烟。第五没有戒指！即使有，我也不敢吞，因为我还没有忘记那次吞下一个铜钱的痛苦。第六假使刺不死而痛得要命，或者又被他们救活，那岂不糟糕吗？最后决定不吃饭躺在床上饿死——真的是活活地饿死！

睡了两整天了，家里的人都以为我害病，母亲连忙请医生来看，“没有病，”医生说，原来他就是那位近视眼先生。

姐姐看见我整天不吃一点东西，只是流着泪，好几次跑来床前安慰我。

“好妹妹，你告诉我吧，有什么事我一定替你办到。”

“什么人都办不到。”我的泪越流越多了。

“告诉我什么事情。”

“我……我……要……我要去读书。”

好容易挣扎着说出了这几个字来，姐姐也陪着我哭起来了。本来她为了孩子缺奶的事已苦的不得了，又加上我的难解决的问题更使她伤心。母亲像知道我为了要读书不吃饭似的故意不睬我，这使我的自杀之心更加坚决。“母亲是最爱女儿的，为什么我快到死的地步了，她也不答应我的要求呢？”我开始对于慈母之爱怀疑了。

到了第三天，大概是母亲见我固执得无可奈何的原故吧，她答应了我的要求，不过要在两年以后才送我去读书，她说在这两年中要考察我的脾气，假若变好了就允许，否则，还是要早点将我嫁出去的。

就在这一线希望的曙光中，救出我弱小的生命。

小学时代的生活

入小学是在我十二岁的那年。当我踏进学校的门，看见许多活泼天真的女孩在拍皮球，跳绳子时，我简直怀疑自己走进了天堂。我发狂了，内心里充满了说不出来的快乐和希望，可是有一件事使我深深地感到苦痛的，就是我的两脚还是紧紧地被缠着带子，本来我可以解开不裹它，但是母亲的条件是不裹脚，就不许我读书，这叫我怎么办呢？这时和我一样的小脚姑娘很多，他们都感到同样的痛苦，几个天足的老同学，祚芳，士闲她们都用剪子来剪我们的脚布，每天来检查我们的脚解放了没有？本来为了求学，我宁可忍受裹脚的痛苦，但看到人家都是大脚，而自己却是三寸金莲，未免太丢脸太难看了。最后我不顾一切地也将裹布完全解开丢了，下大雨时，我也像大足的同学一样赤着脚在天井里玩水。

第一次闹风潮

学校里有两个管理员，她们都是从长沙回来的。那时乡间的女子到过长沙的，仅仅只有她们两个人，从同学那里，知道她俩都是死了丈夫的人，蒋先生更是孤单得可怜，连一个伴她寂寞的孩子都没有。

她们将学生当做自己的孩子一般看待。我们都很亲热地叫着“蒋老师”“周老师”。真的，她们比我们的母亲要好多了，时时鼓励我们发愤读书，不要裹脚。

生活过得很快乐，我们同学间的感情比至亲的骨肉还来得真挚热烈。有什么不懂的问题，总是小的问大的，新来的问老学生。功课完了，我们一同到钟家山或者三溪桥去玩，这一群无忧无虑的小天使，整天只知道跳着，笑着，从来没有想到人间还有什么痛苦和悲哀。

在恬静而愉快的生活中，忽然起了一个小小的波澜，那是赶走了管理员蒋老师，教图画，理科的钟先生辞职了，事情是这样发端的：

钟先生是一个性格比女性还温柔，而年纪很轻的男教员，无论讲书或说话，从来没有高声过，愉快的微笑永远地挂在他的唇边，他喜欢同孩子玩，将学生当做自己的弟妹一般看待，因此学生都不怕他，不把他当做尊严的老师看待，而当他是个亲爱的朋友。

突然有一天，蒋老师把我们甲组的学生叫去，警告我们不要和男先生多谈话，上课时态度要庄严，眼睛不要东张西望。又说："钟先生太年轻，而且喜欢笑，不便教女学生，你们都是黄花女，应该循规蹈矩地好好读书，太开通了是不行的！"

大家都认为她的话太侮辱我们了，一时哄动全校，不到三天工夫，就闹得满城风雨，天翻地覆。

我们都是一群天真纯洁的孩子，那里懂得什么社会上的黑暗和专制。

第二天的上午，开头一点钟的课就是钟先生的理科，我们都很严肃地坐着，简直连半点声音都没有。

"书都拿出来了没有？"钟先生还是往日一般的笑容。

底下没有一个回答他的声音，他也不留意地翻开了自己的教本。

"油菜是什么花冠？多少雌蕊和雄蕊？鸣冈（这是父亲替我取的学名)！"他叫我的名字了，但我没有回答。

"怎么？你答不出来吗？咏声，你答。"

她也和我一样没有回声，只是望了他一眼。

"你们都成了哑子吗？真奇怪！"他有些气愤了，但脸上的笑容仍然留着。

"先生！"和声大胆地站起来了，同学都佩服她的勇敢，一切人的目光都集中在她一个人的身上。"并不是我们哑了，而是我们不敢回答先生。”

“为什么?”他这时脸色忽然变了，很急促地打断了她的话问。

“一言难尽，”和声说，“不过可以简单地告诉先生。因为蒋老师不许我们和先生谈话，为避免嫌疑起见，连问题都不敢答复了，我们的胆子虽然太小，但实在有我们的苦衷。”

“好，那么我就辞职吧，我没有资格当你们的老师。”他的脸胀得通红，马上拿起课本来气冲冲地走了。

蒋老师还装作不知道什么似的来问我们，钟先生为什么不等打下课铃就走了。

“你去问他吧!”我们都同声地这样回答她。

真的她到男校去了，她要求钟先生来上课，但是最好不要笑，因为都是些年轻的姑娘，给别人看见了会要说不像样的。

“哼！不要笑吗？除非我死了!”钟先生的脾气这时真的爆发了，“从母亲生我的那天起，我就知道笑，后来长大了，我对什么都笑，即使在狗面前猪面前，草木鸟兽面前我也会笑，笑有什么可怕呢！它又不是毒蛇猛兽……”

钟先生是坚决地辞职了，乙组丙组的学生也都大闹起来，她们说钟先生的教授法很好，我们非要他教不可！校长要我们每班派代表两人挽留钟先生，但是第三天的上午钟先生忽然跑上讲台来了，我们以为问题有了解决，谁知他是来和我们告别的。

“各位同学！”他的声音特别沉重而庄严，他没有笑容，脸色苍白，额上涨着一条条的青筋；教室里挤满了我们的同学，甚至连病在床上的都爬起来了。

“今天是我和你们最后一次的谈话，我没有别的可说，而且在这受气的时候，也说不出什么来；我只希望你们努力读书，将来把这不良的环境根本改造，你们是和男子一样的人，为什么这样受旧礼教的支配呢？你们来到学校，原是想多求点知识，但是现在你们得着的是什么？连问书的自由和教师谈话的自由都没有，甚至于一言一笑都要受干涉，这还成什么话？所以我希望你们不要忘记此次学校给与你们的教训。你们要反抗旧礼教，要争取自由。至于我个人，因环境关系，不便留在此地，明天就要走了！我在旧社会的制度没有变革以前是不回来的。别了！祝你们为光明，为自由而努力！”

可怜我们一听到他要走，弱小的心弦就开始颤动起来，我们除了含泪目送着他的影子走了，还有什么话可说呢？唉！钟先生走了，我们慈爱和蔼的钟先生走了，我们如满园桃李骤失春风，弱小的羔羊徘徊歧路，我们站在十字街口怅望，跑到山顶上去哀号，亲爱的先生呵！你要何日才能归来？

风潮越闹越大了，男校也响应了起来，他们都要钟先生回校，这使得那位校长简直没有办法应付。我们已经自动地罢课了，并且要求管理员赔偿我们的名誉，辞退她的职务，否则，我们全体退学。后来她终于假借因病的原故而离开了学校，我们勉强地上了两星期的课，还没有举行学期考试，大家都回去了。

这次闹的事情，幸而没有传到母亲的耳里去，否则，求学的前途怕会从此断绝的！

开始与小说发生关系

秋天来了，又到了开学的时候，母亲因为看见我的小脚已变了大脚，她非常气愤而且伤心，她责备我不遵母命，同时也埋怨学校太不顾到家长的体面了。自然，在她看来一双蒲扇大的脚是最丢脸的事，何况辛辛苦苦费了她多少精力才裹成五寸长的小脚呢？

她再也不愿送我读书了，但我苦苦地向父亲哀求，因为他已经调查了我在甲组中是成绩最好的一个，所以他允许我继续求学，而且把我带去县城，这学期就改进了县立高等女子小学校。

那时大同镇到县里去求学的女孩还只有我一个，因为言语不通的关系，初进去一两个月，我简直没有一个朋友。望到她们有说有笑的在那里谈天，我总不敢走拢去，下了课后，老是一个人躲在寝室里看书。不是温习功课，就是看从图书室里借来的《少年杂志》，《小朋友》等。那时我最爱看富有冒险性的侦探小说。

忽然有一天发现我的名字贴在训育部的布告处，上面有一行要我去取书的小字，我连忙跑去把条子撕下去领书，一看原来是二哥从山西寄来的。我仔细地打开，里面包着两本崭新的书，一本是《新演讲集》，一本是《短篇小说集》。我快乐得什么似的，不管人家听不听，总是见着了同学便说着这样愚蠢的话：

“我哥哥替我寄书来了，贴了很多邮票，是从山西寄来的呢。”

因为自己不会演讲，每次登台，总是骇得脸青唇白，说不出三句话来，因此我连看了演讲集第三个字都要头痛，再不要说打开读它了。

书收到的当天晚上，我就开始看短篇小说，这是胡适翻译的，文字还流利，我一口气就看完了半本，最使我受感动的是《最后一课》和《二渔夫》。老实说《一件美术品》和《梅吕里》那时还看不懂是什么意思，还有《杀父母的儿子》引起了我很大的兴趣，我佩服那个儿子的勇敢，同时憎恨那个母亲的残酷无情。我开始对新文学发生无限的好感与崇拜了。这本薄薄的短篇小说集，我一连看了三遍还不觉得重复，而且好像越看越有兴味，越看越不忍释手似的。

那时学生的成绩和作文，图画，习字，手工等凡是好的，都要贴出来，我的字写得最丑，最潦草，从来没有上过壁，也没有打过一个“甲”字；倒是几句歪文，常常被贴出来了。父亲特地为我买的赵帖颜帖（他要我随便选择一种临摹），我从来没有打开过。有次他看了我写给他的一封信，字迹奇丑得不成样子，特地过河来骂我：

“你究竟习的什么帖？字写得这么怪难看的。”

“我……我……”

“什么帖？”

父亲绉起眉毛几乎要伸手打我了。

“鸣冈帖。”

“什么？”

“爸，我没有临帖，我是写自己的字呢。”

他看我向他撒娇，又听到“鸣冈帖”三个字于是又笑起来了。

在楼上示威

起初的听到母亲允许我去益阳升学的消息，我无论如何也不敢相信，直到她亲自对我说。“你大哥在益阳当校长，你嫂嫂也不肯回来，你天天吵着要读书，现在就去找他，要他给你读好了。”

这时我真不知要如何感谢我的母亲，我觉得她是全世界最好，最体贴儿女，最痛爱儿女的母亲！从家里到益阳听说有六百多里水路，坐民船最快也得要四天，这么远的路，母亲也允许我去，真是我梦想不到的事。

也许命运注定我生下来就应该过飘泊生涯的，离开家里向那遥远的生疏的地方跑去，也不觉得有什么难过和悲伤；虽然看到母亲和祖母姐姐她们流泪时，我也忍不住哭了；但船开后，我的心却又轻飘飘地愉快起来，经过风景好的地方，我总默默地欣赏，半句话也不说。

到了益阳的第三天，哥哥就送我进了信义女校，这是一个挪威国的老处女爱娜办的（她有四十多岁了，还没有出嫁）。在益阳要算是个顶完备的学校，因为自初小，高小，中学校，师范以至大学，都有很好的设备和教师，学生共有两千多人，大家都在"上帝"的统治之下生活着。

我是一个"蛮子"，很小的时候就像男孩一般勇敢，我什么都不怕，自然连"洋鬼子"也在内。

真没想到教会学校是如此考得严格的。我以高一的资格，自然想考上高二，谁知仍然只能在高一，因为英算两科的题目太难了。比方英文，我们只学会几句很简单的句子，而这里却要试验文法上的 Passive voice，Active voice。至于算术的分数和比例，我还没有学过。考试的结果，只能进高一、二期。

从乡下来的姑娘，开始过着住在四层洋楼的生活，简直比叫化子做了皇帝还要快活。这里不但不收学费膳费，而且赤贫的学生，学校还要津贴她零用。我的环境比较好，因此一学期交了膳费十元。的确，在这样舒服而不花钱的学校读书，没有一个不是欢天喜地的。房子是这般幽静而宽大，空气特别新鲜，资江就绕在学校的后面，即便是炎热的夏天，清凉的河风，常常吹得我们昏昏欲醉。每当夕阳西下，最后的红光射在水中荡漾的时候，我们便爬上了三楼，三五成群的同学，并肩远眺往来的帆船；渔人唱着美丽的歌曲，慢慢地摇着轻舟，踏上他们的归程；微微的江风一阵阵送来浓郁的花香，浮在水上的帆船正像海鸥般轻飘，隔岸的山岳，笼罩着一层薄薄的灰幕，这是一幅多么富有诗意的画图呵！

最美丽的，是夏天的早晨。小鸟儿正在枝头唱着晨歌，河风吹着依依的杨柳，青青的小草底时候，太阳从东边蔚蓝的云里爬了出来。她像一个初出浴的少女，羞答答地含着微笑慢慢地移动着；一会儿她的光芒射到江中，江水马上被照得通红，好像涨满了一江血水。渐渐地群山都由金黄而变成赤色了。呵！多么美丽的血红的太阳呵！它的光辉是何等地庄严伟大，它照遍了天上人间，大千世界。

我最爱太阳，只要不下雨的天，我总是一个人先起。有时虽看不到太阳出来，但也并不失望，因为我呼吸了别人未曾呼吸到的新鲜空气。我还每天练习打哑铃，那时我的身体正像铁一般的强健。

同学都待我很好，她们都喜欢和我玩。教师也都说我聪明，虽然曾经在《太阳常照英国旗》一篇文里，我表示了对帝国主义的不满，没有照着国文老师的做去，但他也并没有骂我。同学们都称我为快乐的王子，因为我那时不愁功课，一天到晚都是笑着，玩着，跳着，正像小燕子似的。

但谁也不晓得，我自从入校的那天起，就感到有一种深沉的苦痛压在心头。这就是我不信上帝，不高兴读圣经，以及什么新约和旧约。我不愿意在每次吃饭时做着祷告："我们在天上的父，愿人都遵你的名为圣，愿你的旨意降临……"我高兴唱歌，但我不愿唱"上帝爱我爱无边，及到离世必保全"的赞美诗。

为了不高兴做祷告，我宁愿每一天早晨和晚间或者吃饭的时候躲到厕所里去受苦。有次被吴先生发觉了我常常吃饭迟到，她叫我到训育部去。

"你为什么每次吃饭时要比别人后到？"她问我。

"我没有听见摇铃。"

"干什么去了？"

"读圣经。"

"真的你这样用功吗？你不是不喜欢圣经的吗？"

"为什么不是真的？谁说我不喜欢圣经？以前我还没有感到书里面的乐趣，现在我觉得只有上帝是世界上唯一的救星，我要信仰他，崇拜他！"

"在上帝的面前不要说谎话，以后每天吃饭时你都要来作祷告。”他微笑着摸了摸我的头发。

“当然！”口里虽然这样答着，心里却在想：“哈哈！上帝知道……”

那时我的知识幼稚，脑筋也很简单，我没有什么高深的理论反对上帝，我只觉得上帝这东西是虚无的，“凡信上帝的人都能得救。”真是笑话！为什么每个星期日许多穿褴褛衣服来做礼拜的穷人们，他们永远是如此穷得没有饭吃呢？上帝不能赐给他们衣，食，住，也不能替他们医治疾病，更不能使他们找到职业。至于什么贫苦的人，他们说是因为有罪，所以上帝处罚他们，更是屁话。我只晓得，人就是创造世界的上帝，什么都是自己靠自己，而且我根本否认世间有所谓上帝这东西存在。

反对上帝，不做礼拜的消息，被哥哥知道了，他连忙跑来警告我。

“妹妹，你快不要捣乱了，不然学校会开除你，那时我只好送你回家去，你再也不要梦想读书了。”

这夜我失眠了，但有什么办法呢？我是无论如何不信仰上帝的，如果真因为我不肯受洗礼而要开除我，那也只好由她们了。

伟大的五七国耻纪念日到了！各学校，团体，机关都在那天放假去参加游行运动。我校在两天前就接着学生联合会来函，要我们于七日上午八时整队至教育会坪集合。信虽然贴出来了，可是学校并没有放假，仍旧照常上课。

“为什么我们今天不放假呢?”我听到早晨的上课铃声时这样问一位同学。

“放什么假?”她的确忘记了今天是什么日子。

“还不知道吗? 国耻纪念日。”

“这里从来就不放假的。”

“那么我们不去参加游行吗?”

“当然不能去。”

“为什么?”

“你想他本身就是一个帝国主义，而游行的口号，是打倒帝国主义，那里有让学生去喊打倒自己的事呢?”另一个大同学这样回答我，她是师范二年级的学生。

“那我们非去不可!”我几乎跳了起来。

“去! 我们大家去，”这是我班同学的声音。

“我们要放假纪念我们的国耻!”

起初是我和两个同学向大家去宣传，结果由我们一班首先反对上课，接着整个的小学部都响应了。那时师范部见我们这般孩子们闹得起劲，也有点动摇起来，她们一，二，三年级也在自动停课，只有四年级没有参加，仍然关起门来听讲。

虽然停了课，可是仍旧不许我们出外参加游行。甚至请假回家或去野外旅行都不可能。我们本想再接再厉，和学校奋斗，可是老同学们说："这只是今年才有这次破天荒停课的事，如果再闹，你们几个首领，马上会被开除的。"

"那么，我们就在学校举行纪念仪式吧。"我征求同学们的同意，居然有大半赞成的。

就在外面的洋鼓，洋号，吹打得热闹雄壮，打倒帝国主义的口号响动天地的时候，我们也用习字纸写下许多标语，用筷子卷着从楼下游行到楼上，边走边呼口号，正像街上的学生群众一般地狂热，沸腾。我们高呼着：

"打倒帝国主义！"

"反对基督教！"

"争取言论自由！"

"加入学生联合会！"

"誓雪国耻！"

………………………………

不幸，这些口号都被校长的密探汤先生听到了，她连忙将这消息报告给"黄眼睛"（我们赐给校长的浑名）。她恼怒了，马上摇铃召集我们训话，说我们是捣乱份子，要开除我们几个为首的。

"怕什么呢？要开除就开除，难道我们连国家都不要了吗？"当时我这样对积珍说，她也是我的好朋友，比我低一班。

“当然，我们是什么都不怕的。”

“即使杀了我都愿意。”我又补上一句。

究竟大众的力量是伟大的，她不敢开除我们，但又不愿意我们几个捣乱份子在校，妥协的办法，是黄眼睛叫了我哥哥来，要他来领我回去。

“你的妹妹太跳皮，她专和学校捣乱，尤其这次闹得太不成话了；照理我们非开除她不可，但是先生是有名望的人，而令妹天性聪明又极活泼，的确是个可爱的孩子，为了顾到她的学业和前途，我们不宣布开除，就由先生带回去好了。”级任吴先生这样委婉地向哥哥说了之后，他像晴天里听到霹雳一般；我呢？命运就这样决定了。当天的黄昏，我就离开了上帝的学校，我是为爱国而得到被开除的报酬了。

第三章　中学时代

中学时代的生活

这是应该特别感谢父母亲的！母亲在二哥和三哥的替我求情之下，居然允许我去投考长沙省立第一女师（这是一所公立学校，学费，膳费，书籍费一律由学校供给，每县每次取录县额两名）父亲更亲自送我到长沙，他很替我耽心，以为一个高小还没毕业的孩子一定会名落孙山的，何况报名投考的又那么多，然而我终于考上了。

因为我还是高一的学生，所以除了国文史地而外别的功课我几乎都赶不上。好在我肯用功，不到两个月就没有什么困难了，同学们都对我很好，进去不久她们都和我成了好朋友。我们的生活，比起普通一般的学生来要快乐多了，因为我们有一位爱护我们像爱护他的孩子似的校长——思想前进，博学多才的徐特立先生。

外婆校长

我们初进学校的时候，是一个娇滴滴的女校长，后来又换了一个，仍然是女性，她们都得不到学生的信仰。最后徐校长来了，他真是一个了不起的教育家！他一来到，学校为之焕然一新，有些读死书的同学，都像春天的小鸟一般活泼起来了。我们都叫他做“外婆”，因为他太爱我们，完全将我们当做自己的外甥一般看待。但学校里的规则很严，他禁止我们穿小背心，禁止我们吃辣椒，晚上下了自修后，他不许我们看书，常常到了一点钟他还没睡，为的要查每一间寝室是否还有人讲话。假若有一个人去厕所他也要问一声：“为什么还不睡？宁可早点起，不要耽过了睡眠。”到考试时，大家都害怕他。因为随便你站在那个黑角里，他都要用手电筒照着催你去睡。许多同学为了不敢燃腊烛预备功课，只好站在路灯下或者厕所里去看书，但没有一次不被外婆赶走的。

“外婆，为什么三点钟了你还不去睡呢？”一天晚上我从厕所里回来这样问他。

“不等你们一个个都睡尽了，我是睡不着的。”他忙用手指着寝室要我赶快去睡，我刚进门，别一个同学又跑出来了。因为外婆管束得太严，这天晚上她们故意和他捣乱；约好了几个同学看小说，害得外婆从东边赶到西边，从西边又赶回到东边，一直到四点钟他们才回寝室去睡。这次因为是故意的违反校规，所以每人都被记了一次过。

冬天一来，教室里很早就生了炭盆，他便每天嘱咐我们多穿衣服，不要受寒。复天又替我们将窗户打开，流通空气。那时学校里几乎成了一种喜欢吃蚕豆的风气，同学们老是喜欢两个三个的一字排行着在校内散步，一面走一面剥着蚕豆，满地着散壳子。外婆看到了并不一开口就责备她们，只是静悄悄地湾下腰来一个一个的把壳子拾起，正在吃得津津有味的学生，当然想不到后面有一个在用手替她们扫地的外婆丫头；等到她们走了不少的路，外婆才轻轻地生怕惊动了她们似的说道："壳子少丢一点吧，我这老腰已经湾痛了呢。"

她们听到外婆的声音，骇得立刻站住，回转头来一看，只见她们丢下的壳子，都到了外婆的手里，这时她们脸红红地才说不出半句话来。从此不但她们不敢丢蚕豆壳子或花生壳在地上，就是别的同学也不敢随便丢纸条了。他是这样一个完全用人格感化学生的教育家，怎叫我们不佩服他不服从他呢？

还有一次，他查到了有两个学生的品性不好，有一晚她们中间有一个没有回校，虽然是请了假回家的，但外婆已经知道她那晚在什么地方。于是第二天找她来谈话，那学生起初坚持着说回家去了，外婆知道她是为了害怕开除不敢说出真情来，他连忙改换了语气说："我已去过你的家里了，你母亲说你并没有回去，而且我已知道你昨夜是在什么地方，不要紧，你把一切明白地告诉我吧，究竟你是为了什么要到旅馆里去，是为了性的需要去寻找快乐，还是有什么不得已的苦衷呢？"

她流下泪了，由她脸上的表情，外婆知道她是个可怜的女孩，于是连忙说了许多安慰她，不会开除她的话，然后她一五一十地把家里的穷困，和为什么走上这条路来的苦衷详细地说了。外婆立刻答应她："我每月津贴你的家用二十元，从今天起，你只能在学校好好用功读书，再也不许去外面'乱来'了。"

他还用同一的方法，教训另一位学生，后来她们两个都发奋读书，以前给同学看不起的坏名声，现在被洗得干干净净了。

为了津贴贫苦的学生，为了买书捐给图书馆，他的薪水从来没有寄一个回家的。他整天穿着一件破长衫，床上铺着一床破被子。一九二六年的春天，叶某的军队来围攻学校时，看到他只当做伙夫没有理会，却把一位西装革履的夏教务主任，打得头破血流。学期终了，有些年长的学生，成绩往往不及格，外婆并不责备她们不用功，只把她们叫来告诉她关于自己读书的故事。

"我四十七岁才去法国留学，一个法文字母都没有学过，我居然一个人大胆地跑去了。我和六七岁的孩子同班，从ABCD学起，孩子们都叫我grand-papa，有些坐到我的膝头上来，玩弄我的白胡子，我一点也不觉得羞耻。只要我肯用功，那怕记忆力坏到极点，每天读一个字，一年也可读到三百六十个字。不要愁年纪大，只怕自己不长进，不用功！”

他是主张社交公开的，从来不检查学生的书信，“检查有什么用呢？情感是没有方法禁止的，青年人要恋爱，就让她去恋好了，只要她不荒废学业。”有次他这样对一位主张要检查书信的女管理员说，骇得她忙吐出两寸长的舌头来，半天说不出一句话。

他的女儿和人家恋爱失败了，出了一部书，叫做《恋爱的悲惨》，一般思想腐化的人看了，都说这是徐某的耻辱，生这么一个不守礼教的女儿；谁知他满不在乎，反说她有革命的精神。

“我的女儿是很开通的，不像你们一样中着封建思想的毒，妞妞妮妮地任环境去摆布，失恋有什么关系呢？要受过一次挫折，才能找到她最好的爱人！”他常常对一般娇滴滴的同学这样说。

自然，在这个时候，我们的思想是很自由的，随便看什么书，或者研究什么学说，组织什么文艺研究会，社会科学研究会，都随你的自由。

我们的图书馆，可以说是全省最完备的一个，里面书籍很多，尤其关于新出版有思想的杂志，书报，没有不尽量买来的。外婆常说："宁可一天不吃饭，不可一天不读书，因为饭是天天都有吃，而好的书是不容易得着的。"

那时管理图书的是我们自己，每班选举两个图书干事，轮流值日。真是凑巧，我也被选了，因为这样我更可以多读些文艺的书，所以没有推辞就答应了。

我最喜欢看小说，无论新的旧的，不管它内容怎样，总要找来看。旧小说中我最爱看《水浒》。《红楼梦》虽是一部名著，可是引不起我的兴趣来，我讨厌林黛玉的哭，更讨厌贾宝玉那种傻头傻脑，整天只知道玩弄女性的低能儿。我佩服《水浒》上所描写的每个英雄好汉，他们那种勇敢侠义的精神，给了我后来从军的许多影响。

五四运动开始了，中国产生了新的文艺，那时我最爱看的书是创造社郭沫若、郁达夫、成仿吾的创作；外国作家方面，我爱读莫泊三，左拉，托尔斯泰，陀夫妥也斯基，爱罗先珂等的作品。卢隐和冰心虽是中国女作家中资格最老的两位，可是她们的作品还没有白薇所给我的印象较深。白薇是受过封建社会的压迫的，在《打出幽灵塔》里，充满了反抗奋斗的精神；不过我那时的思想并没有固定，而对于文学的兴趣也是多方面的，比方王尔德的《沙乐美》，苏曼珠的《断鸿零雁记》，我也一样喜欢看。至于哥德的《少年维特之烦恼》，我一连看过五遍，真的，这本书实在描写得太深刻太使人感动了！

有时我看书看出了神，同学来借书也不理她，直到她们大骂一声之后，才连忙放下书向她们赔礼。

“刹那的印象”

我开始写小说，是在进了女师的第二年，那时刚满十五岁。有一天我和两位小学时代的同学，去一个同乡家里吃饭，主人刚刚买了一个十三岁的丫头来，那女孩长得面黄肌瘦，身材短小，满脸现着泪痕，倒是一双乌溜溜大黑的眼睛，非常惹人怜爱。女主人是一个师长的太太，她命令女孩走路给我们看，并请我们评判她的一举一动的姿式，是否合于一个师长公馆用的丫头。那两位同学真的将视线集中在女孩的身上，但是我的眼里却正在燃烧着不平的火焰！我恨那位女主人太不讲理了，简直把人当做畜生看，我当时气得饭也吃不下，回来我立刻写了一篇《刹那的印象》，用闲事做笔名寄给编《大公报》的李抱一先生，第二天当我走进阅报室，无意中看到了自己的作品，那时的快乐的确是不能以笔墨形容的。

恰好这年的冬天，同学们又举了我担任学校月刊的编辑，写文章的机会比较多了，但我并不高兴发表，因为自己知道写出来的东西是这样幼稚得可怜。我需要多读书，多获些新的知识。

因为说到写文章我记起了一个有趣的故事：我们的

教室靠近城墙，不知从那一天起，忽然出现了一个疯子，整天在城墙上徘徊。他穿着破烂不堪的衣服，咕噜咕噜地不知说些什么，有时他指手画脚，像在演说似的；有时流泪，有时号啕大哭，或者顿起脚来骂："你妈的，你妈的！"据认识他的人说，他曾留学英法德三国，同时兼懂日文俄语，只是为了失恋就疯狂到这个地步。他的爱人姓刘，因此常常伸起头来问我们："你们那里有个刘小姐吗？我要刘小姐，只要她见我一面就好了！"

"没有，你不要发疯。"我们常常以凶恶的态度回答他，但他反而向我们哀求起来了。

"可怜我吧！告诉我刘小姐在什么地方，我只要看她一眼。"他流下泪了，这时我们都替他感到难受。

"呵！刘小姐来了，你快看她吧！"有一次恰好遇着同班的刘文走来，我们就这样介绍给疯子。

"不！不是我那个刘小姐。"他仍然哭着，而且比以前更哭得伤心。

为了每天有他在点缀我们的快乐，我们不知误了多少功课，每天下了课后就去看疯子；因为他有时会说许多在外国的故事给我们听，有时他又会唱很快乐或是很悲壮的歌，但是假若遇到他正在烦闷而我们向他调戏时，他惟一抵抗的武器便是脱裤子。这简直比炸弹大炮还来得厉害，只要他的手稍为提一下裤腰，骇得我们就拼命地从楼梯上滚下来了。有两次，他完全裸体在大雨中淋着，害得我们上课时，谁的眼睛都不敢向外面张望。

疯子给与我们写文章或者谈话的材料很多，比方一个正在恋爱的同学，总是警告她说："你不要使你的爱人天天哭着要刘小姐呀！"

同性爱的纠纷

"同性爱"这个名词，那时我们还不知道应用。只是非常奇怪，大家一对对的交起朋友来，而且行坐不离，起初由相识而相爱，由相爱而结婚了。（她们同睡在一床的时候，就叫做结婚）

我小学时代的朋友在长沙的很多，同校的也有七个，但大家都是随随便便，没有特别好的感情，也从来没有发生过恶感。只有一位姓孙的同学（她也是新化人，而且同班)，她竟莫明其妙地爱上了我。真的，她简直是个毫无半点理智的女子，一身都是爱。最初当我发现她对我特别殷勤时，老实说，我还有点不高兴她，我觉得她太麻烦我了。星期六的下午，她要陪我上街买东西，如果我不出校，她连家里也不回去的就坐在我的屋子里陪我。

慢慢地日子过得久了，也许是她那种始终不变的痴情，感动了这铁石心肠的我吧，我居然也对她发生好感了。我生来就有男性的性格，而她简直是个典型的多情女郎，虽然我们同在一校相处了五年，可是没有同睡过；

只有一次我病了，她整整地在我床边守了四天三晚。她没有上课，也没有吃饭，每天陪着我吃点我剩下的稀饭。她常常为了没有请假出外替我买药而被处罚，我那时真感到难过，但她一切都忍受，我是第一次见到像她这样为朋友而牺牲的人。

也不知是什么原故，许多同学都喜欢我，不，与其说“喜欢”，毋宁直截了当地说她们都“爱”我。像孙一般热爱着我的人共有五个，我真不知如何应付。有两个同班的，三个是别班的。下了课后，她们都想找我去玩，但我却谁都不敢答应；因为我知道一次只能和一个人玩，而其余的都会误会，比方别班的她一定说着：“你是高班生，我高攀不上，没有资格和你做朋友。”同班的她们更要说着：“我没有文学的天才，你自然要去交别班有学问的朋友。”处在这样的环境当中，真叫左右为难。因此，每次遇到她们喊我去玩或者吃东西的时候，我总这样回答她：“我此刻有事情，等一下再来吧!”

“你的事情是永远做不完的!”有一次黄君这样骂我，我只好笑而不答。

每天清早或者饭后，尤其在暮霭苍茫的黄昏，总有无数对的同学在操坪里散步，谈情话，或者并肩看书。而我常常一个人拿着小说在读，有时站在池边，有时坐在草地上，我总是孤零零地一个人。

“你为什么一个人坐在这里？没有朋友吗？”外婆笑嘻嘻地走来，他居然也知道我们内部的秘密。

“不！就是因为朋友太多，我不好同那一个玩。”我也笑着回答他。

“可怜的孩子，竟不知怎样应付好了，哈哈！”我们的谈话，被一个立在松树后面的同学听到了，她忙跑出来取笑我。

“真的没有办法应付，你看她们都喜欢吃醋，不然，大家相爱，是多么好呵！”我不但不怕她笑，反而正经地和她谈了起来。

“那是不可能的。”她说。

“为什么？”

“我不知道为什么。你去问她们好了。”

就在这时候，爱我的那位孙女士走来了，她以为我借故跑出寝室来到这里和一位新朋友谈情话，于是很不高兴地向我瞟了一眼。

“你不是说要去写信吗？”

“是的，信写完了，我在看书呢。”

“书？你看书是用嘴巴看的吗？”她气冲冲地走上楼去了。

“唉！你看……”我对那位不相干的同学笑了一笑，她马上一溜烟跑了。

“真糟糕！我又不是你的朋友，害得她倒了满地酸醋。”她又回转头来对我说着。

我真陷在痛苦中了，我没有办法对付她们。为什么要吃醋呢？大家相爱不好吗？甲的朋友可以介绍给乙，乙的朋友可以介绍给甲给丙，而朋友的朋友又可以介绍给我们做我们的朋友，大家全是朋友，多么快乐呵！可是这只是我的理想，而实际是不能办到的！

瑞和素是我两个特别要好的朋友，她们都有文学天才，写的东西非常深刻，但是她们的人生观是悲观的，阴郁之气充满了字里行间。而我恰恰和她们相反，我是乐观的，每篇文字里都流露着天真活泼的愉快情感；但我喜欢她们的作品，有时感到自己的太肤浅，不能像她们的能感动人。然而她们又正在喜欢我的文字。她们说，和我在一块，就有生气，有快乐，有青春！我们每个星期日都要到郊外旅行一次，岳麓山，水陆洲，湘江，余园，还有许多不知名的山林里常有我们三个人的足迹。起初同学们还不大知道，因为我不大去她们的寝室，她更不敢来我房里。每次出去，都是先在易先生的房里约好了的，他是我哥哥的朋友，也是她们的国文老师，后来这事慢慢地被同学知道了，于是大家一传十，十传百的说着我们如何亲爱，如何携手在外面玩，她们赐给我们以“三角板”的绰号，我们只好无条件地接受了。

“三角板也好，两脚规也好，管她！”素有些不耐烦起来，但我只付之一笑。

孙，渐渐对我怨恨起来，她说我的感情太不专一。我想，我又不是她的爱人，要那么专一干什么？难道朋友不可有两个以上的吗？我很老实地对她说，要她去爱廖模，因为她是最爱孙的痴情者，正好配对一对。

“不，我永远只爱你，即使你不理我，我也是死爱着你的！”她坚决地说，而且哭了。

一个问题还没解决，另一个又发生了。

有天我从二哥那里回来，看到床上摆着一封没有贴邮票的信。字迹娟秀而活泼，一看就知道是个聪明的女孩子写的，我连忙拆开来看。

敬爱的鸣冈！

请你原谅我这冒昧的称呼，这是我一封写了很久而不敢给你的信，但到现在，是忍无可忍了，我要大胆地亲自送来，我希望你不在房里，因为当面交信，究竟有点难为情。

你的作品，在我初来校的那天，就由我的同学，也是你朋友罗君介绍给我读了，多么美丽的文章呵，我为它而陶醉得昏迷了，由那天起，我就认识了你，可是你只一笑就走开了。但是鸣冈，请恕我第二次的唐突，我时时在追逐你的影子，我时时想和你谈话，想和你接近，你愿意收留我这个无知的小孩做你的第几等朋友吗？我在这里诚挚地等候你的回音。

爱慕你的崑上

我是生平第一次接到这样的信，自然是“受宠若惊”。但我并不感到快活，我知道又多了一个麻烦。我很谦虚地回了她一封信，以后我们就成了文字之交。我们很少谈过话，可是信却通了不少，她的作品在学校月刊上发表的也很多，她的确是个富有文艺天才，而又勤苦用功的孩子，我喜欢她，可是我并不愿和她多谈话；这是很对不住她的，因为她那带有鼻音的 n-an n-an 的湘乡话，我实在不大喜欢听。

正在遭她们讥讽我又多了一个“文学家”的朋友时，第三个不幸的波浪又卷来了。原来十五班也有两个爱着我的同学，一个是单秀霞女士，她真是单恋，写了许多给我的诗都自己烧掉了，要不是她的同班李君看见跑来告诉我，我永远也不会知道。另一位陈君，她爱我更比单厉害，除了大胆地在作文簿上写着想念我的诗词外，还对别人说我是如何如何可爱，这么一来，和她同班的自然有了新的谈话材料，而且竟在一天晚上，来了几个像土匪绑票似的同学，将我拖到陈的房里去了。

真的，我梦也想不到会有这样的事发生，虽然这是她们干惯了的玩意儿，常常在寝铃响了之后，一队队拖朋友的闹得一场糊涂，但绝对没有想到她们竟会闹到我这老实人的头上来。

“怎么？这是干什么？”我惊讶得大叫起来。

“请你来玩玩。”一个不知道她姓名的同学说。

“今晚就请睡在这里。”李女士说这话时，脸有点红了；她忙望了我一眼之后，又将视线落到陈的脸上，陈低下头来，羞答答地像新娘子初进洞房见到新郎一般地扭妮不安，两颊红得像血球一样，她忙转过身来以背对着我。

“这里又不是我的房，为什么我要睡在这里？”我粗声地说着，意思想用威吓的手段来对付她们。

“这里等于是你的房间。”

“什么话！”

“因为陈的铺，就是你的铺呵！哈哈哈！”她们在动手替我脱鞋子了，天！

“你看密司陈多么爱你呵！她的眼睛总是这样紧紧地钉住你。”

“为什么密司陈这样爱我？我连认识都不认识她！”我不怕陈听了生气，只是任性地说。

“可是她早已认识你，爱上你了，而且不知做了多少相思的梦。”李女士说着又是一阵哈哈。

“碰鬼！”我开始听到陈君的声音，她一定因我说得太过火，才如此发怒的。

“不要发气，我们出去，让你们好好地谈情话吧。”她们临走时，将我按在床上，脱出了我的鞋子，（这是她们对付每一个拖来的朋友唯一的方法）而且“砰”的一声将门扣上了。

——怎么办呢？只好从窗口跳下去吧！我默默地坐在床边，真苦闷得不知如何是好。

突然，电灯熄了，同房的还有四个，她们都在偷偷地静听我们是否在谈话，也有格格地发出轻微的笑声的。

“大胆地谈情话吧，密司陈，我们都不会偷听的。”

“你们多说些吧，我是没有什么可说。”陈上床之后，我还呆呆地坐了半个钟头才躺下。

我简直像睡在老虎窝里一般害怕，我连呼吸都不敢重声，我紧紧地靠着床边睡着，被也不敢拖来盖，全身都凉得冰冷了。

——今晚怎样过去呢？我非从窗口跳出去不可！不然我一定会失眠，而明早又要考试《生物学》我还没有预备的……想到这里，我恨不得马上去爬窗户，又怕她们来追，又怕摔倒，而且鞋子也没有，牺牲袜子倒不要紧，最怕的是摔交，因为窗口离地太高，跳下去多少有点危险的。

“唉！”我轻轻地叹了一口气，仍然不敢翻身，听到打三更的梆声了，天呵！这漫漫长夜，我将何以度过呢？

陈也一样地睡不着，他虽然和我睡一头，（到后来听到她的呼吸，我才发觉她在这头）可是两人背靠着背，中间隔了一尺多宽，简直连一个字的话都没有说过。

我不敢打开眼睛，仿佛我见到了她泪痕满面，我又好像听到她在抽噎。我太辜负她了！她是如此爱我，想念我，而我竟对她这样冷淡，连睬都不睬；在她看来无异给她以莫大的侮辱。但是有什么办法呢？我是最讨厌拖朋友的，何况我对她并没有感情呀！

我领略到一个人和不相识或者不爱的妻子丈夫睡在一块的痛苦了。“唉，他们不是和我此时一样吗？”我简直将陈当做了我的仇敌，怕她而又恨她。“假若不这样，也许我们会慢慢地好起来，给她们一拖，我就对你毫无情感了。”我想对她这样说，但终于没有勇气开口。这一夜正遇着下雨，我完全没有合眼，听到淅沥淅沥的雨声，心里更加难受，我好几次想鼓起勇气问她：“你睡着了没有？”或者安慰她一声：“我太对不住你了！”然而不知怎的，这声音老是发不出来，好容易等到六点钟的起床铃摇了之后，才有人替我送鞋子过来。

“昨夜谈了一晚的情话吧！”李君望着我们媚笑。

“感谢你牺牲了我一夜的睡眠！”我带着怨恨的口吻说了之后，就一溜烟跑了！从此，我连这门口都不敢经过了，去厕所时，总要绕一个大大的湾子。在操场或者饭堂里遇到陈时，两人不约而同地低下头来，她更是羞答答地走过，像回避未婚夫一般。我虽然没像她那样，可是总有点难为情。

情书贴在布告处

长沙向来是很开通的，自从五四运动以后，恋爱的浪涛，就渡进了城市中的每个学校。但究竟女子还是整个的被封建思想所缚住，心里虽在爱着某人，口里无论如何不敢表示，自然更没有“进攻”的勇气。男子不然，他们并不认识你，只要知道你的名字，就会写起情书来，不管你接受不接受，他写他的，倒有一种勇猛向前的精神。

那时接情书的人，多半是运动会中的选手，以及那些会写几句文章的人，或者学生会的职员等等。每次我们开过运动会之后，总有一大批用红绿信封的情书，由绿衣使者送来，几个会跳舞的密司和篮球健将们，常常将信拿在手里撒娇：

“你们看，又是什么鄙子流氓来信了！”

我也意外地接过两次信，第一次是在一九二四的春季运动会，那时我和同班的陈洁编辑《运动特刊》，上面有我写的几节短文，还出席跳了一次花影舞和土风舞，因此，后来有人写信给我，说什么“身轻似蝶，妙舞如仙，才高道韫，学富五车。”第二次是我们开新年同乐会的时候，我扮演《这是谁的错》一剧中的丫头——莺儿。第二天居然有人来信说，全剧中只有我演得最好，又活泼又滑稽，言语流利，态度大方。其实那时我是第一次开始学习演剧，又因为练习的时间少，因此演得并不好，而那人是形容得如此天花乱坠，真叫人肉麻。

我倒并不觉得稀奇，他们写来的信我看了之后撕掉就完事，还有些同学，接了那样的信，像煞有介事地送到训育部去，或者自己气得痛哭流涕，更好笑的是王君的一幕趣剧。

是在一个暑假考试开始的第一天，我在早晨五点半的时候就去操场里读英文：猛然看见教务处的布告处，贴着几张粉红色写蓝字的东西。我被好奇心的驱使，连忙走近去看，原来是这么一封情书：

OO 女士：

申江送别，苦海相思，恨流水之无情，载归舟而离我，喜落花之有意，祈并蒂于来生。人同此心，心同此爱，江山可改，此理难移；我本过来人，岂敢有他意于闺阁，徒以人间仙女，舍女士其谁与归？果从兹结为文字之交，常寄爱情于笔墨，相见匪晚，愿共修来世之姻缘，女士得无笑我痴乎？抑将有以教我乎？江天在望，不尽依依，临颖神驰，诸希鉴谅。惠风有便，时赐佳音。

OO 顿首

奇怪！也不知是种什么魔力在吸引我，居然我把这封信看了第二遍，而且高声地朗诵起来，正像一位八股先生念《孟子》《论语》一般拖腔作调，这使得住在靠近布告处寝室中的同学都走出来看，渐渐地她们越来越多了，没有一个不停住脚仔细看一遍的，并且都喜欢念出声来，一时哼哼哈哈，几乎把耳朵都震聋了。有许多从来不高兴看布告的同学，现在都站到情书的面前来了。一直到上课铃摇了第二遍后，才空出一条道路给教师走，以前的确是挤得水泄不通的。

读了这封情书后，大家的脑子里都不宁静起来，至少起了以下几个疑问：

（一）为什么要贴出这信？谁贴在布告处的？收信人？还是训育处？

（二）写信与收信的人是谁？（因为原信上的姓名都用墨渍涂掉了）

也许还有其他的疑问，总之，一直到试验纸发下时，大家还在嘻嘻哈哈，议论纷纷。

“静下来，用心答题！”教员站住讲台上高声说着。

“先生，最好叫我们默写那封情书吧。”一个玩皮的同学这样提议，引得全堂都哄笑起来。

据说写信的人，是王女士一位好朋友的丈夫。情书是她由江浙考察教育回来才收到的，其所以贴出的原因是表示她的清高，贞洁，不愿与男人往来，而且对得住朋友。其实她接到这信付之一炬就得了，何必一定要使大家知道呢？少见多怪，真是可怜的封建信徒。

自从背熟了这封情书之后，大家又有了新的谈话资料。如果遇着有同学不高兴时，就摇头摆尾地念着：“喜落花之有意，祈并蒂于来生。”或者说：“女士得无笑我痴乎？抑将有以教我乎？”

女孩子的确淘气，现在回忆起来，一切当日情形还历历在目。

作文打零分

我们这班虽然曾经换过三个国文教员，但每一个都是好的。

“现在我们请翻译家李××先生来教文科，希望你们特别努力研究文学，李先生是翻译莫泊三小说的，想必大家都知道……”

教务主任这样介绍了之后，我们都表示着诚恳的敬意，欢迎这位新来的李先生。

我们真感激教务主任，他自从分出文理两科以后，对于文科的国文教员特别注意。虽然那位周先生已经够好了，但为了他担任功课太多，所以特地请了李先生来，我们很高兴，谁都希望李先生好好地教导我们；甚至平日并不喜欢文艺的，都想从此向这方面努力。我尤其怀着满腔的热望，很想大胆地学习写小说，我断定李先生不但能替我修改，而且会告诉我怎样描写得深刻，一篇小说的内容，结构，技巧，修辞……许多方面，他会尽量地指教我。因此第一次作文，我便写了一篇万余字的小说《初恋》，请他修改，谁知过了两个月，卷子还是躺在他的抽屉里睡觉，（至今这篇小说，他还没有给我）他并没有去翻它。我好几次质问他，才知能者多劳，李先生担任了四个学校的功课。每天包车叮当叮当地驰骋于学校街头，归来儿女绕膝，乐叙天伦，又加之翻译忙碌，自然没有时间来修改我的歪文。

“李先生，我的卷子还没有改吗？”

“实在没有功夫，真对不住！”他很谦和地回答。

“那么以后永远不要作文了吗！”

“几百字的文章，我当然能改，否则，恕不能负责。”

“那怎么办呢？不知怎的，我老是喜欢写长文章，常常不知不觉一写下笔就是几千字。”

“文章不在乎长，而在精彩。”

“可是要怎样才能达到精彩的地步？先生可以告诉我吗？”

“自己慢慢地去学习，写了文章，常常修改，就会走到好的方面去的。”

这是我一个人在他家里和他的谈话。我很难过，当我没精打彩地归来时，我悲哀地想着！“为什么我不能遇到像福罗贝尔一般的老师呢？虽然我没有莫泊桑的天才，可是难道命运是跟天才而转移的吗？”

李先生讲给我们听的，是一篇福罗贝尔著的《波华荔夫人传》，起初讲时，我们还聚精会神地听，后来不知为什么，都感到兴味索然。本来，我们希望他讲一点关于文学理论，小说作法以及文艺思潮等等常识给我们听的，但结果完全失望，这当然不能怪他，在百忙中，他怎会注意到我们这些孩子们的要求呢？

“怎么？你的作文是〇分！”学期考试结束了，好友黄君淑坤这样惊惶地跑来告诉我这个出乎我甚至一切人意外的消息。

“学期分数你看到了吗？”

“仅仅看到国文一科，是刚才李先生着人送来的，因为我们恰好在号房拿信，所以先偷看着了。”

“岂有此理，怎么打〇分？我不是交了一本作文吗？哼！向他交涉去！”

我那时一面感到害羞，一面又感到气愤。真的，〇分是多么羞耻的一回事呵。

“还有一件事你不知道，知道了你会气死。”她停了一会又继续着说。

“什么？你说吧，即使各科都打〇分，我都不会气死，我又不是为分数而来求学的。”

“你在一刻钟内替密司王代做的那篇论文反打了八

十五分，她这学期仅仅只交这一篇文章。”

“那有什么关系呢？哈哈！我不是有了八十五分吗？怎么说是〇分！”

于是她也笑起来了。

斗争生活的开始

那是“六一”惨案发生的第二天，长沙各校的学生都整队去游行，并全体向省府请愿，要求政府缉拿“六一”惨案的凶犯，并取消二十一条，抚恤死者家属。“赔命！”的口号更是特别喊得响亮，每个人都高举着旗帜大声喊“打倒××帝国主义！”各校派代表向省长请愿，其余的都在外面等候，谁知不到十分钟，里面大嚷大叫，原来代表都被请入牢狱了！外面的队伍见代表没有出来，大家都向里面挤，于是又捕去百余人，监狱里关不住了，只好把他们关在狱吏的房里，最后连操坪里都站满了，门外是军警森严，但群众没有一个害怕的，大家只顾向前冲进。省府的一位秘书见势不对，连忙出来对大家说：“因为有许多事要和代表商议，所以留他们在这里，你们非代表的赶快回去。国事严重，自然有我们负责，你们只管努力读书就是。”

“释放代表！释放被捕同学！”我们坚持着不达到目的不回学校的主张，这真难为那位秘书了，只好当场放了两百余人，代表仍然关在里面，我们回校时已经是晚上九点钟了。

第二天清早起来，就组织宣传队出外讲演，我们整天在大街小巷里找人多的地方宣传×帝国主义者的凶暴，和我们应该怎样起来反抗。那些激昂慷慨的话，使得群众个个气愤填胸，有时我们一面说着，不知不觉地流下泪来，群众也有陪着我们流泪的，听的人越来越多，我们一连讲两三个钟头也不觉得疲倦。

“六一”惨案简直像一颗炸弹，它唤醒了无数热血沸腾着的青年男女，它更唤醒了我这每天只知躲在图书馆里看《少年维特之烦恼》的胡涂虫。

唉！多危险呵，要不是一九二六年的第二个大炮惊醒了我，也许我真的做了维特第二呢。

初　恋

——节录日记中的断片

相　思

一九二六·九月七日下午二时

我真太自苦了，太自寻烦恼了！脑海中为什么只有他的影子呢？眼睛所看到的好像尽是他的笑容，耳中所听到的，好像尽是他的声音，别人写来的信，也当做是他的，看了一遍又是一遍，整个的心完全被他占有了！唉，这怎么好呢？我一点事也不想做，而且也不能做，我无论在上课，吃饭，行坐，睡眠的时候，总是想着他。听讲，一句也听不进；看书，一个字也看不懂，总之，什么事都不能做，除了静坐着想他而外。

心　事

同年九月十五日夜

我真不知道“爱”是什么东西，它是什么组织成的？

我没有尝过爱的滋味——除了父母之爱——不知爱的味道是苦，是甜，是酸还是辣？我只知道对他发生了一种很神秘很深刻的情感，难道这种情感就是爱吗？

在我第一次和他见面的时候，他的视线和我的视线互相接触的一刹那，他便散下了爱的种子在我的心田之内，同时像磁吸引铁似的把我的心和灵魂都吸收进他的心内去了，从这时起，我开始对于异性发生情感。

以前，我真是个天真烂熳的孩子，每逢同学们谈到恋爱问题的时候，我便“呸”的一声跑开了。

她们都说我是个未谙世故的小孩，我希望我永远不谙世故；然而现在有一种不知名的痛苦居然降临到我身上来了，上帝，这是怎么一回事呢？

我不知这是一种什么心理，爱他而绝不让他知道。我要保守着秘密，一直到永远！不使对方知道自己在热烈地爱着他，这是多么神秘的不可思议的心理呀！

痛苦，痛苦，我欢迎你，绝不躲避你，人生只有在痛苦的时候才有意义呀！

厨川白村说得好："恋爱在痛苦与流泪的时候，才有价值，等到结婚，便成为恋爱的坟墓了。"

该死，我为什么引这么一句在这里呢？一个天真纯洁的女孩子，不应该有这些东西浮上脑海来的！

………………………………………………

当我生平第一次遇到有一个异性的影子闯进我的脑海里来时，简直痛苦得想要自杀！我不懂那个微笑着的少年的影子，为什么老是站在我的眼前，使我不能静心读书，不能像天使似的无忧无虑过着快乐甜美的生活。我恨他，也恨介绍我和他认识的哥哥。我想毁灭他的影子，然而不可能，我常常在半夜三更从凄凉可怖的梦境里惊醒来时，就用力捶着自己的脑袋骂着：

——你这无用的东西，赶快去死掉吧！纯洁的尊贵的少女的脑子里，为什么要藏着一个异性的影子呢？那是多么不幸的事呵！你的前途将要被那个影子像旋风似的卷去了，你的生命，将要被那个影子像猛兽似的吞没了，多么危险呀！……苦海茫茫，回头是岸，再不觉悟，你的一生就这样完了。

尽管理智怎样责备情感，但情感还是得着了胜利。那影子不但没有消灭，而且一天比一天的更活鲜鲜地在脑海里跳跃起来。

现在理智在向情感宣战了：

我不能牺牲我的前途，
我不能毁灭我的生命。
努力挣扎吧！
从苦海中救出自己！

他是上帝驱使下凡的天使，
他是手持利箭的爱神，
Cupid 呵！
你一箭射穿了我的心，
夺去了我的灵魂，
你是吃人的恶魔，
我要杀掉你才甘心。
不要忘记了你是个非凡的女性，
不要忘记为求学而自杀的苦心，
继续奋斗呵，
你应该做个社会上有用的人！　——节录《血潮》

在那种苦痛的心情之下，我却绝不愿意流露丝毫给对方知道，和他通了一年多的信，从没有把我爱他，思念他的情感提起过，我天天写日记写诗，有时偷偷地买了烧酒来喝个烂醉，有时想约几个同性朋友住到深山古庙里修行去，但是她们都不知道我的秘密，唉！多么宝贵的值得回忆的初恋呵！

时代的警钟响了，一九二六年的大革命爆发了！勇敢的青年男女们，一个个都抛弃了书本，脱下了长衫，参加革命去了！陷在苦海中的我也在这时得到了苦闷的解脱。

那个可爱的影子，突然有一天出现在我的面前，这是真正的影子，两个眼睛充满了热情紧紧地钉着我。

“信收到了吧？我要找个机会和你深谈一次。”

温柔的声调里，藏着无限的希望与欢愉。

“你相不相信，我要从军去了！”

我的微笑中夹着严肃，他开始惊讶起来。

“我不相信，你说来好玩的吧？”

“不！真的！”

“你的身体吃不了那种苦。”

“我要锻炼。”

“真的这样决心了吗？”

阴沉的忧郁，代替他的微笑了。

“已经报名了！”

“考虑一下再决定吧，我希望和你详细谈谈。”

“无须考虑，你应当无条件地赞成我去的！”

“……………………………”

他低下头来沉默着，我知道有一种说不出的痛苦，压在他的心头，但是奇怪，我一点也不难受，好像一个被判决了死罪的犯人，突然得到特赦一般，我很骄傲地坐在他的对面微笑着。

“明天我要回去了，告诉我，我们还能见面吗？”

不知怎的，这声音像一曲悲哀的调子，弹动了我的心弦，我突然感到凄凉起来。

“到前线上见吧！我希望你也去从军。”

“……………………………”

他没有回答，眼里闪烁着晶莹的泪光。

别了，就这样默默地什么都没有说，我送他走出了学校的大门，连手都没有握，只是含着满眶的热泪转来。

从军时代的作者

在前线上的作者

第四章　从军时代

当兵去！

我至死也忘不了我的二哥，能够去当兵，可以说大部分都是他帮助我的。

一九二六年的暑假，我陪他在岳麓山的道乡祠养肺病，那时我的脑海中还深深地印着那个影子的笑容，我的精神很颓废，整天都不想说一句话，只是看着《牡丹亭》，《燕子笺》，《西厢》，《琵琶记》……一类的无聊书，二哥非常生气，他有一天，居然写了一封信告诉父亲，而且当面大大地骂了我一顿，有几句话，至今还刻在我的脑膜上：

“女人，真是没有用的！时代的血钟响了，你还在梦里睡着打鼾。这些才子佳人，千篇一律的糜烂故事，早就应该抛弃不看的，你是个觉悟了的女性，又极喜欢新文学的，为什么不读革命的作品呢？”

他给我看××主义ABC，社会主义浅说，以及其他几本关于社会科学，革命理论方面的书。当我对于这些书发生了兴趣的时候，那个影子便在我的脑海里，慢慢地淡了下来，我写文章的对象，也转了方向。因为住在乡间和农民接近的机会很多，我开始描写他们的生活，他们的痛苦，在三哥主编的《通俗日报》上发表了。

是报名投考军校的前一天晚上，我和三哥在明德中学二哥住的房子里讨论我可不可以去当兵的问题。

“我反对她去，军队中的生活是干燥的，机械的，每天只知道‘立正’‘稍息’，绝对服从，她的脑筋也会变得简单而且迟钝。当兵，对于一个有文艺天才的人是不适宜的，何况她的身体也许受不了那种苦。”

这是三哥的主张。

“你的见解完全是错误的！她如果想要产生有血有力的作品，不平凡的作品，那就非经过一些不平凡的生活不可！去当兵，正是去锻练她的体格，培养她的思想，供给她文章材料的好机会，这对于她绝对只有益而无害的。”

自然，二哥的见解是对的，三哥只得放弃他的主张不和我们争论了。

至于我自己，那更不要说了，即使他们都反对，我也是要去的！因为这年的冬天母亲要强迫我出嫁，要想逃脱这个难关，就非离开长沙不可！但是往何处去呢？

一个未满二十岁的孩子，身无半文，带着一颗从小就受了创伤的心，能往何处去呢?

这一点，二哥是特别同情我的，他因为自己受包办婚姻的苦痛太深，所以他极力怂恿我去当兵，他说:

“这是唯一解放你自己的路，只有参加革命，婚姻问题和你未来的出路问题，才有办法。”

我相信，那时女同学去当兵的动机，十有八九是为了想脱离封建家庭的压迫，和寻找自己出路的。可是等到穿上军服，拿着枪杆，思想又不同了。那时谁不以全世界的十二万五千万的被压迫民族解放的担子放在自己的肩上呢?

女同学们，谁也瞒着家庭，瞒着学校，（除了我们的校长徐特立先生赞成我们去当兵外，其余的学校，都不许女生去投考）偷偷地去投考军校，取录了的，那种眉飞色舞，得意洋洋的喜态，真是描写不出的。

还记得是一个大雨倾盆的下午，我们二百五十个勇敢的男女战士集合在长沙的东火车站候车出发，有许多来送行的老太太以及年轻的姑娘们，他们都用手帕偷偷地擦着眼泪，但我们（也许只有我一个吧?）一点也不难受，小胖子树蓉说:“你们不该哭的，应该鼓励我们去冲锋杀敌!”

那时，想不到有个青年，淋着大雨气气喘喘地跑来还给我一封厚厚的粉红色的信，他是《火花》的编者，一个认识不久的友人。很对不起他，一直到了武昌，我都没有打开这封信，自从我下决心要在脑海中消灭那个影子的那天起，无论谁献给我的热情，我都要用冷水泼下去的。

我们五十个女同学，挤在一个车厢里，没有坐的地方，大家像逃荒的人一般，用箱子铺盖放在底下当做座位。车厢是关马装货的，所以除了两扇铁门外，连一个小窗户都没有，大家被黑暗笼罩得太难受了，于是就放开嗓子高声唱着：“起来，饥寒交迫的奴隶，起来，全世界上的罪人……”

我们的歌声一发，他们也接着唱起来了，热闹呵，我们要庆祝新生命的开始，要庆祝光明灿烂的前途！每个人都像疯了似的狂笑，高歌，跳跃……

乡饱姥追火车

大概是下午五点钟的时候，火车不知开到了一个什么站停住了，我和树蓉连忙跳下来向一个乡村里跑去，许多人都用惊奇的眼光钉着我们，但谁也没有理会，或者阻止我们。

这简直是一个难言的耻辱，连这一点常识都没有，虽然两个人都是初次出门，没有坐过火车，但为什么她们都不知道呢？我们有勇气去当兵，却连厕所在什么地方这句话也说不出口，真是天下的大傻瓜。

唉：为什么懦弱低能到这个地步呢？

当我们匆忙地从那家距离车站约有三四十丈远的房子里走出来时，火车的影子不知消灭到什么地方去了。两个人顿时伤心起来，像疯了似的拼命地在铁道上追着火车，四只眼睛只是朝向前看，不是脚指碰着了石头，便是脚根被铁轨撞伤了。树蓉是个矮胖子，她常常跌倒了又爬了起来，走两步又跌倒，可怜呵，世间居然有这样的蠢保。无论你如何跑得快，怎么赶得上火车呢？

"追不到了，我们转去吧！"

我失望地说。也不知道走了多少路，已经看不见车站的所在了，两边都是森林，阴惨惨地，没有房屋，也遇不到行人，我们有点胆寒起来，立刻向后转，仍然沿着铁道向我们刚才来的地方走去。

我们心里充满了懊悔，失望，和怨恨自己的烦恼。

"蠢猪，简直是两条蠢猪呵！"

树蓉几乎着急得哭出来了。

"我是个乡饱姥、从来没有坐过火车，你是从醴陵来的，为什么也不知道火车每次停多少时候，车上有没有厕所呢？"

我质问她，更增加了她的难过。

"真是碰鬼，两个乡饱姥碰在一块了，我还不是和你一样？"

没精打彩地走进了刚才我们曾说过不知多少“谢谢”的家里去，那个中年妇人带着讥讽的口吻说：

“火车开了，看你们怎么办？”

“我们等下一班的。”

“那么不要坐在这里等呀，你应该到车站去！”

这时我们很感激她的指示，好像一个在深山中迷路的孩子，忽然遇到了带路的救星一般，立刻放开脚步像追赶火车时一般地快跑到了铁轨旁边。

等着，等着，一点钟，两点钟过去了，从长沙开来的火车还是没有影儿；大地早已被黑暗笼罩着了，多么可怕呵！我们今晚怎样过去呢？到什么地方去睡？两个乡下姑娘一双手空空如也，谁愿意收留你？在这个年头儿，有许多拐卖少女的人贩子，如果今晚我们遇到那样的人又怎么办呢？

想到这里，突然一个高大的恶魔底黑影子张开着两臂向我们扑来，我骇得往后面一倒，带着颤栗的声音说：

“树蓉我们赶快去找住的地方吧，站在这里太危险了！”

两个人紧紧地手牵着手在黑暗中摸到了另一个村庄。

“老板娘子，请开开门。”

从门缝里，我们看到有人正在点着煤油灯吃饭，轻轻地敲了敲门，里面有声音发出来了。

“什么人？不要站在门口！”

这冷酷的，严厉的声音，已经消灭了我们不少的勇气，一双腿子突然软了下来再也提不动了。

“另走一家吧！”树蓉轻轻地说：

“老板娘子，可怜我们，请开开门吧！”

“多走一家；我们这里没有打发的。”

这是另一家的一个老太婆的声音，非常温柔。

“老太太，我们不是叫化子，是刚才从火车上掉下来的女学生，请做做好事开开门，让我们进来坐一下吧！”

我们虽然不是叫化子，但实际上这时比叫化子还要可怜。

“深更半夜，那里来的女人声音？一定不要好——”

天！他们把我们当做什么人看待呢？谁都不肯收留我们，今晚往何处去呢？

有两个男人从另一所房子里听到了我们的声音，带着嬉皮笑脸的态度说着：

“到我们这里来吧！”

我俩像遇着老虎似的不敢望他，连忙转过背去，避开他们的视线，又迅速地走向另一家门口去哀求。那两个讨厌的家伙，紧紧地跟在我们的后面。

这回可得到救星了，一个老太婆听到了我们的声音，连忙走出来开门，但当她一眼望见两个都是女人的时候，脸上立刻现出不高兴的表情，原来她有个媳妇正在生产，孩子还没有下来，照迷信上说，如果这时走进来的是个男人，那么生的孩子也一定是男的。

“老太太，今晚我们可以在这里住一晚吗？我们是赶火车赶掉了的。”

“不成，我的媳妇生孩子，忙得很，不能留你们住，你们另去找地方吧！”

“时候不早了，路也不熟，狗又咬人，不知那里可以去，请老太太告诉我们吧！”

也不知是她有意怜悯我们，还是她害怕我们一定要住在她家里，她真的介绍了一家寡妇带着她的女儿同住的店铺给我们。

像一个怪物从天空里掉下来似的，许多村人都来围着看，我最害怕男人进来，尤其害怕男人和女人说着耳语，我怀疑这里就是地狱，那些来看热闹的，都是“人贩子”，我害怕他们会合伙吃掉我们……

我用英语对树蓉说着，今晚不要睡，恐怕有意外的事发生，她点了点头，苦笑着。

说来也真有趣，我们以为他们是坏人，她们也怀疑我们是不正当的女人，唉！人与人之间的膈膜！

女主人很和蔼，待我们非常亲切，弄好饭菜给我们吃饱后，就摆好铺盖在两张柜子的上面给我们睡。因为是和她们母女同房，我这才稍为放心了。

整整地一晚没有睡觉，我们谈话到了天亮。

第二天清早，以我的口袋里仅有的一块光洋献给主人，做为救了我们一夜命的报酬。

完全像个乡下姥似的，我们畏畏缩缩地走进了建筑在铁路旁的一所洋房子里，有个带黑眼镜的先生从办公室里走出来问：

“你们是投考中央军事政治学校的两个女生吗？昨天下午二点从长沙开来的？在这里赶脱车了？”

“是的，你怎么知道？”

我们一直到这时才舒了一口大气，心上放下了一块千斤重的铅板。

“唉！早又不来到这里报告，害得他们每站都打电报来问你们两个，而且派了人来寻找，去，赶快去候车！免得错过了时间，长沙的快车就要到了。”

我们一连向他（后来打听是站长）行了几个九十度的鞠躬，他却没有看到，只顾打回电去了。

“喝！怎么你也在这里？”

跳上车，一眼就望到了同来的男同学李君，我们快活得大叫起来。

“邱委员派我来找你们，他说你们两个都是成绩好的优等角色，不能掉的！”

哈哈哈！我和树蓉几乎把肠子都笑断了，谁知他们眼里的“角色”，是两个这样蠢得可怜的乡饱姥呢？

被开除了

天下再没有比这更滑稽的事！还没有踏进学校之门，已经被开除了，说出来，有谁相信呢？

事实是这样的：

最初招生委员会本来只规定招收男生一百名，女生二十名的，但因了投考的有三千余人，并且程度好的太多，又经过考生全体请求增加名额，所以取了二百名男生，五十名女生。谁知到了武昌，他们又改变计划了，据说奉了上面的命令，这次招生为的是造就各省革命的领袖人材，所以每省的数额要平均，湖南这次录取的太多，照理需要减少三分之二。他们的分配是男生八十名，女生二十名，用复试的方法，来淘汰其余的一百五十名。

这消息传到我们的耳里，简直像宣布死刑似的感到绝望与悲哀！谁的眼睛都被蒙上了一块黑布，光明的前途，又被黑暗笼罩着了！

“不行！我们绝对不能被淘汰，我们要求全体入校。”

一位不知名的男同学，这样首先提出来，随即大家都附和着说：

“我们要反对复试，无条件地要求全体入校！”

其中尤以男同学李任伯和女同学铁大姐一段话说得最激昂慷慨。任伯说：

“这简直是个大笑话，革命人材只嫌少，不怕多——越多越好，岂有限制多少人革命的道理？这次湖南的学生，投笔从戎的这么踊跃，是证明他们的思想是前进的，他们有奋斗牺牲的精神，他们对革命，有了深刻的认识，这种现象是可喜的，乐观的，站在革命的立场上来说，应该特别爱护这班青年，培植他们，鼓励他们为国家努力，为整千整万的劳苦大众谋解放；而现在恰恰相反，政府却要制止他们革命，要他们仍然回到学校去读死书；名义上是说平均发展革命势力，实际是阻碍富有革命性的青年前进，我们不能被淘汰，无论如何，我们应该全体入校的！”

一阵如暴雷似的掌声响过之后，铁大姐忽然从人从中站起来了，她的嗓子是粗大的：

“各位同学们，亲爱的姊妹们！这次我们来当兵，是下了牺牲的决心才来的，我们脱离了家庭来投身革命，目的是在救出痛苦的群众和痛苦的自己；尤其我们女同学从军，是开中国破天荒的先例，政府既然把男女一律看待，使我们也有效命国家社会的机会，那是我们妇女的幸福，人类的光明。大家正在欢天喜地的时候，突然得着要减少一百五十名的消息，实在太令人伤心了！女同学们，我们想想，如果真的被送回去怎么办呢？家庭不认我们是女儿了，学校不认我们是学生了，我们往何处去呢？大家有革命的精神，牺牲的决心，而没有机会，没有地方能容纳我们。革命是只有向前，决无后退的，我们不愿回去，每个人都要进军校！”

真的，他们的像铁一般的句子，激动了每颗热烈的心，谁也主张反对复试，要求无条件地全体入校。于是反对复试委员会，在五分钟之内就组织成立了。当天下午全体整队过江至汉口军事委员会的唐秘书生智那里请愿，队伍站在外面，请愿意见书由十个代表递呈，当时得到的答复是圆满的，有希望的。他说立刻打电报去南京请示，同时允许帮助我们，使我们都有参加学习革命的机会。

谁知三天过去了，还没有半点消息，第四天的上午，突然有个男同学气喘喘地跑来高升栈——我们女同学住的地方——说：“不好了，不好了，湖南来的同学都去复试去了，不复试的，一个也不能进去；还有，十个代表已经挂牌全体开除了！”

“怎么代表开除了！那么……我……我！”

真像半夜里听到一声巨雷，我惊讶得说不出话来了，虽然明明知道这次被选为代表，是为了大众的利益，并不是胡闹，牺牲个人，我决不后悔，只是心里总有一点莫明其妙的难过。

第二天，报上登着开除代表和湘生复试的新闻了。当我看到谢鸣冈三个字时，我更加感到凄凉！我想这次如果当兵不成，真找不到第二条出路了！学校纵然不开除我，母亲也会逼着我出嫁的，不但求学的前途从此断绝，生命也会被封建社会的恶魔吞噬去了，从事革命的志愿，更永远不能实现。完了，完了，满腔的希望，如今变成了绝望，浩渺的洞庭湖，也许将成为我的葬身之地吧？

的确，在那个时候，我很伤心，二哥看到了我被开除的新闻，也非常替我着急，他一面安慰我，一面为我跑到军校去找教育长想法，但对方的回答是：

“没有办法了，命令既下，不能收回的。”

“我的妹妹的确是个勇敢的孩子，她除了革命，没有第二条出路的，请想法收了她吧！”

哥哥仍然委婉地要求。

“不成，要她去投考政训班好了！”

没法，二哥只好碰着钉子回来了。

政训班是唐秘书办的，因为他曾经允许过要帮助我们，这次奉命复试，既把我们淘汰了百多个，他觉得如果真的遣散我们回去，未免太可惜了，所以特地临时开办一个政治训练班（八个月毕业，校址设在汉口），专门容纳这些未来的无名英雄。铁大姐和八个被开除的男代表，还有在军校未取录的同学通通去与考了，只有我因为等待哥哥的消息，仍然躺在床上发愁。

“有办法了，妹妹！”哥哥快活得大跳起来。“从北方招来的一大批学生还没有考试，你赶快改名，换北方籍去报名投考吧!”

这是一个难得的机会，同时也是危险的尝试。如果被学校查出来，那不是“弄巧成拙”吗?然而为了前途，为了实现自己当兵的志愿，也顾不了许多了。

报名单取来了，一个人悄悄地走去报名，在姓名一项里，我写下了谢冰莹三个字，其次是籍贯，我填的北京。

“学校证明书，怎么没有拿来?”

那位穿军装的办事员，认真地问我。

“没有，大概过两天就有了，我们来考的人很多，修业证书在一位队长手里，他后天才能到。”

满以为难关可以平安地过去了，谁知另一位站在我前面，看着我填表的办事员说:

“你是北京人吗?为什么说的一口湖南话?”

他在寻找我的秘密了，天!

“是的，我是北京人，因为从小跟着父亲在湖南长大，所以说那里的话。”

“你该不是被开除了的那个代表谢鸣冈吧?”

他像侦探似的，眼睁睁地望着我。

“什么?你说什么?我听不懂。”

尽管我的态度如何镇静，却怎样也平静不了那颗突突地跳着的心。

好在这时恰好来了许多个报名的，他们没有再往下问了，否则是多么的危险呵！

关于我报名易籍，第二次投考军校的事，湖南的同学全体都知道了，但他们是同情我帮助我的，因此学校方面还不知道有这么一幕趣剧正在开始排演。

考试的那天，我夹在从北方来的一千多个青年男女的中间，挤向试场去，只听到满口带有卷舌音的北方调，真的好像自己跑到了北京一般。他们无论男女，几乎都是高大个子，粗黑的皮肤，富有健康美；脸上充满和蔼的笑容，他们第一个给我的印象是诚恳，和蔼，忠实。

我的性格也像北方人一般，只是身材又矮又小，皮肤太白，言语不同，否则我真不做一个冒牌的北方人。

也不知是我答得太潦草，还是题目出的太容易，两天来的考试，都是我一个人先交卷，每次都有几个监考员注意我，当我把卷子送到桌上时，他们总是不约而同地把视线集中在我的身上，我生怕他们发现那个秘密，我的心整天都像吊在太空里似的感到恐惧，不安。

“恭喜，恭喜，你考取了第一名！”

当王君把这消息很高兴地告诉我时，我无论如何也不肯相信，我以为他们是故意和我开玩笑，第一名也许就是倒数过来的第一，否则一定被学校知道而又被开除了。

怀着高兴而又恐惧的心情，我飞也似的跑到了发榜的地方——两湖书院。抬头一看，果然看到自己的名字在最前面的第一个，我由内心发出胜利的微笑来了。

——丘八，几天之后，我就要开始丘八的生活了！哈哈！

归途中我这样微笑着自言自语。

晚上哥哥添了菜请我喝酒，还约了他的朋友来陪，被开除了的我，还有今天的快乐，真是梦想不到的事。

入　伍

我记得很清楚，是一九二六年的十一月二十五日的下午，我们搬进了中央军事政治学校的女生队，进门就看见一堆堆穿着花花绿绿的小姐们在那里交头接耳地谈着什么，也有些脸上的表情是苦闷的，悲哀的，还有一个站在她朋友的背后，偷偷地用袖子擦着眼泪。

“哭什么呢？不要难过，今天不能出去，就等到明天再说吧。”

听到这几句话，才明了她们谈的是关于出外的问题。

“究竟是怎么回事？难道今天搬进来的人，都不许出去吗？”

我这样诚恳地问一位先搬进来的同学。

“是的，谁都不能出去。”

“那么，明天呢？”

“明天也不能，听说要一个月以后才能出去一次。”

不问倒罢，一问简直骇得我魂飞魄散了！我们都以为先把行李搬来，等下还要回水陆街（那时我们已由高升栈搬到这里来了）吃晚饭的，因此有些零星的日用品此刻都没有带来，要一个月后才能出去，这不等于受禁闭吗？正在大家懊悔不该这么早进来的时候，突然一个十四五岁的小号兵在吹起："的的的打打的打"的号音来了，同时有三个官长从里面走了出来，有一个是女人，全副武装，打着一副黄呢的绑腿，完全与男的一样，我正在看得出神的时候，却不料那个不十分高大的男官长在喊全体整队了。

挤，挤，挤，大家挤在一堆，排成了高低不一的混乱队伍，有少数同学望着那位女官长的那种神气十足的表情，不由得格格地笑了出来。

"快，快，快点把队伍排齐，不许笑，要编队了。"

男官长说话时的态度是异常庄严的，这使得大家都不约而同地打了个冷战。

足足站了一个钟头，才把我们分成三个区队，依着身材的高矮排成了，我是第三区队的第三十三名，比我高大的同学很多，但还有十多个比我更小更矮的。我拍拍一个叫做郑梅光的肩说：

"你太小了，怎么背得起枪呢？"

"哈哈，你以为自己很大吗？还不是和我一样是个小兵。"

"不许说话！"

我们最初受到警告了，大家都把视线转移向左边来，郑，仍然在微笑着。我低下头来，感到一种说不出的难受。

突然从里面挑出来五担军服，按着点名册每人发了一身灰布棉衣，一顶帽子，一双橡皮底鞋，一双草鞋，两双黑布袜子，一双灰布裹腿布，还有一根一寸多宽的束腰皮带。

东西分配好了之后，那位男官长（后来打听才知道是连长）告诉我们怎样打绑腿，怎样束皮带，怎样带帽子，怎样敬礼，接着他说：

“你们赶快回寝室去把身上的小姐衣服脱下来，换上军装，从今天起你们再也不是娇滴滴的小姐，而是雄纠纠的武夫了。”

听到这里，大家都哈哈哈大笑起来，连长这次并没有骂，只是接着说下去：

“最要紧的，你们要把脸上的胭脂水粉洗得干干净净，不要留一丝的痕迹在上面，头发一律剪短，最好是剃光像我们的一样。”

“呀!”谁惊讶得叫出声来了，连长即刻正言厉色地改变了刚才的温和态度。

“你们首先要认清楚，到这里不是像在文学堂似的过着浪漫的舒服的小姐生活，你们都是兵，今天开始入伍，军人的天职是服从纪律，服从长官，整齐严肃，吃苦耐劳……”

连长一口气说到这里，我们每个人的精神都振作起来，真的，从今天开始，我们是个入伍兵了，过去的一切浪漫习惯都应该去掉得干干净净。

解散之后，每人拿着一套灰布衣去寝室化装，只听到许多娇滴滴的声音在说着：

“脱了皮衣太冷呵！”

“像斗笠一般的帽子呵！”

“这袜子我生平没有看见过！”

“呵呀，衣服太大，我穿着好像在唱木头戏呢！”

听到这句话，大家又哄然大笑起来，二十分钟之后我们都变成了粗鲁的，精神奕奕的丘八了。

第一次整队去食堂吃饭，十分钟吃完，饭后不能随便跑去食堂，要等到了时间，值星官喊“立正”，才能站起来。

于是又是整队，解散。

晚上，女生队的郑队长来训话了。

他是一个高个子身材，年龄大约在四十岁上下，人很瘦，脸上长满了凹凸不平的麻子，说得过火一点，完全像个波罗蜜一般。从他的外表看来，是一个很老实，很文雅的先生，一点也不像军人的模样。他第一个给我们的印象就是那个奇怪的敬礼。他是把五个手指往外一拍，好像是刮人家的耳光似的，有一个同学忍不住笑了，其余的也将要回应起来，幸而连长的眼睛下一个很严厉的警告，否则笑声会像火山一般爆发的。

队长说话的声音也很温柔，只是他有一个不能不叫人发笑的毛病，几乎每说一句话的下面，离不了“时候”两个字，比方说：

“各位同志来到这里的‘时候’，是下了牺牲的决心，你们要取消浪漫思想的‘时候’要除去依赖，懒惰等坏习惯的‘时候’……”

有时他竟把‘时候的时候’连在一起用，这时同学们固然笑得肠子在肚里打转，就是连长也忍不住用牙齿紧紧地咬住下唇。

训话完毕后，就是点名睡觉。连长说，本来不应该这么早睡的，但为了我们今天初来，又没有上操，明天早晨五点半就要起来，所以特别提前睡。

唉！这怎么睡得着呢？外面刚刚打着八点钟，我们四十几个人躺在一间空洞洞的房子里，床是一块硬板子，上面铺着一床灰色毡子，盖被也是薄薄的，一个像我三岁时代睡在摇篮里的小白枕头配上白白的被单，倒也十分整齐美丽。有些从钢丝床上，丝绵被里钻出来的小姐们，自然难免有几句诉苦的话。

“熄了灯后，谁也不许说话，查出来了，明天要处罚的！”

女政治指导员来查寝室了，空气立刻肃静下来，她们用手电射在每一个床上，要我们不要把被头蒙住了嘴，不要踢开了被窝着了凉。她们倒像慈母一般关心我们，爱护我们的。

这一夜大家都走进了另一个新的世界，光明的天地。

“难道我是在做梦吗？怎么睡到这里来了。”

静寂的午夜，我从梆梆梆的更声里惊醒来。睁开眼睛一看，淡淡的月光，照着满室都是白茫茫的一片，完全像躺在医院里一般的寂静，凄凉。由各人鼻孔内和嘴里发出来的鼾声，织成了夜的交响曲。我不能再睡着了，想到再过几个钟头，我们就要拿着枪杆操着“一二三四”了。“兵!”是一个多么有力的字，真想不到数千年来，处在旧礼教压迫之下的中国妇女也有来当兵的一天，我们要怎样努力才能负担起改造社会的责任，才能根本铲除封建势力呢？

一个人到了太快乐，或者太兴奋的时候，他往往会整晚失眠的。钻进我脑海中来的那些美丽的无穷的希望，像无数万火星似的在围着我跳舞，要不是在夜里，我真要狂呼跳跃起来。

隔床的同学也醒来了，她听到我在打哈欠，忙用轻微的声音问我：

“你知道现在几点钟了？快要起来了吧?”

“快了，响过三点了呢。”

起初是我们两个人谈话，后来醒来的人渐渐加多，于是大家索性都爬了起来，为了害怕在十分钟内不能把衣服穿好，（还要整理铺盖打绑腿，洗脸）所以不到四点钟我们全体都跑去操坪了。

“喂！怎么的，还没有吹起床号，你们都起来了！太早，太早，赶快回寝室睡去吧，不要在这里闹。”

连长慌张地从寝室里走出来，看到我们这一大堆黑影子，几乎吓了一跳，原来全体都集合在操场上了。

“不，官长！我们不敢再睡，恐怕吹号时醒不来，所以先起来等着。”

同学中有一位这样回答他，那时还不知在说话之前应该来个“报告”和立正的。

“你们这么热心，这是很好的现象，但望希这种精神能够永久不变。”

我们开始过一天上四点钟学科，四点钟术科的生活了。步枪真重，一支恐怕有三十多斤，和树蓉一样矮的有六个，她们都没有枪高。出操时，前面的每个人都要望着她们发笑，有时跑步，她们简直拖不起枪来；但这只是最初几天的现象，一星期过后，她们都变成短小精干的前卫队了。

奇怪，过惯了浪漫的，自由的学生生活的我们，突然来这里过这种机械的，艰苦的，唯命是从的军队生活，谁也不感觉到苦，或者有什么不舒服，更没有人想开小差。只是在入伍期间，（要经过三个月的入伍，才算是正式兵）每月只限定请假出外一次的规则，倒使大家觉得太严格了一点。

冬天，雪花飘满了大地，在人们正在做着甜梦的时候，我们却在洁白的雪上踏上了整齐的足印，张开嘴在大声喊着“一——一二一，一——二——三——四——”了。

“打破恋爱梦”

自从唱会了《奋斗》歌以后，每个人的嘴上都哼着这样的调子：

> 快快学习，快快操练，努力为民先锋。
> 推翻封建制，打破恋爱梦。
> 完成社会革命，伟大的女性！

而且每次唱到“打破恋爱梦”这句的时候，总是把嗓子特别提高，好像故意要唤醒自己或者警告他人在革命时期中不应该恋爱似的。

春天的风是温暖的，醉人的，春之神带来了甜蜜的爱情种子，散在少男少女的心田，也带来了鲜红的血露，洒在青年男女战士的周身。雄壮的冲锋杀敌的号音，唤醒了他们的迷梦，一个个从粉红色的宫殿里跑出来，走向充满了血腥气味，横陈着无数骷髅的社会战场上去了！他们把狭义的爱的观念取消了，代替着的是全社会被压迫者的劳苦大众的爱，同志的爱！

虽然也有少数的男女同学在互相恋爱着，但他们首先第一个条件是对方的思想是不是和自己站在一条战线上？是不是个真正为革命愿意牺牲一切的人？换句话说，他们实行的是“革命化的同志爱。”

照理，一般饱尝过旧礼教压迫痛苦的她们，一旦从铁笼子里解放出来，应该对于爱的安慰是很迫切需要的吧；然而不，事实恰恰相反，她们并不把恋爱看得稀奇神秘，或者怎样重要。她们最迫切的要求，只有两个字——革命！她们把自己的前途和幸福，都寄托在革命的事业上面。谁也知道整个的旧社会不根本推翻，女子永远也没有得到解放做人的一天！人生需要创造永久的幸福，创造全社会大家享受的幸福；恋爱是个人的私事，而且绝对不会像吃饭这么重要的。大家在愿把生命献给群众，献给社会的坚决信仰中，恋爱不过是有闲阶级的小姐少爷们玩的把戏而已。

真的，这就是我们的思想：我们对于恋爱的见解。

是入伍后第二个月的第一天早晨，我从值星官手里接过来一封厚厚的信。那是他——那个初恋的影子写来的。信是那么重，像铅一般压在我的手心里，同学们都望着我微笑，以为又是谁写来的一封甜蜜的情书。（那时因为我在学校出版的日刊上常常发表文章，所以给我写情书的人很多）看了封面上的笔迹，我像触了电似的全身麻木了，整个的脑海里突然不宁静起来，好容易等到散了队，我偷偷地跑去操场的角落里拆开信来看。

天，这是怎么回事呢？纸上涂满了模糊的血迹，字又是这么潦草，我没有读这封信的勇气了，连忙把它插在口袋里。如果在两个月以前，这封信落在我的手里该是多么珍贵！现在，唉！我没有这种心情了，我的生命已交给群众与社会，我的思想整个地改变了，我要一脚踢开这消磨志气的恋爱！

想到这里，恨不得把信撕得粉碎抛在字纸篓里或者用火焚化，使它不留半点痕迹在人间。然而矛盾得很，我又没有毁灭它的勇气，终于打开来看了这封充满了热情而悲壮的信：他希望我接受他赤诚的爱，他愿意永远和我站在一条战线上奋斗，愿意把生命献给劳苦大众。在信笺的最后一页，有五个用血写的字——《血潮的象征》。

看到“血潮”，我记起了自己的初恋日记，但只一刹那，仅仅只一刹那，听到集合号在吹，我连忙跑去站队。

“谁的情书？”

树蓉轻轻地附在我的耳边问着。

“不是。”

我摇摇头，眼泪几乎要流下了。

树蓉是我的好朋友，我们甚么事都是公开的，晚上我把这封用血泪写成的信给她看了，她叹了一声说：

“唉！可惜他不是同志……”

从别处得来的消息，他的思想是和我背道而驰的，唉！还有什么可说呢？完了！完了！

受着理智与情感的驱使，我终于回了一封要他立刻来武汉参加实际工作的短信，谁知一个月两个月过去了，回信还是杳然。我知道他那封信一定是被一时的情感冲动写下的，并不是他的思想有了新的转变，我不能和一个非同志恋爱，我要在脑海中消灭那个影子！他是我的敌人，我应该以残酷的手段对待他，这年头是不讲情感只重理智的，思想相同的就是朋友同志，否则就是敌人。

消逝了，梦一般的初恋，可爱的影子？从此永远地在我的脑海中消逝了！

几个不守纪律的男女兵

李中仁，这位绰号“神经病”的幽默家，几乎全校都知道他的名字和故事。他是男生队第一大队的入伍生，和我们同时考进来的。他不喜欢说话，有时甚至一连几天都不开口。他生着一副有神经病似的面孔，谁见了他，都忍不住要笑，因为当他的眼睛呆呆地钉住你看时，你会不知所以然地笑了起来。

听说有一次，大队长正在房里办一件很重要的公事，忽然听到外面在喊着“报告!”声音是非常沉重而带着紧急的神气，大队长忙把笔丢下也大声地回答着：

“进来!”

“神经病”一踏进门，就是一个九十度的鞠躬礼，大队长正焦急地等着他的报告，他却双手捧着那把放在茶几上的茶壶，咕噜咕噜像黄牛饮水似的，一口气把茶喝得干干净净一滴也不留。

“喂，你这是干什么的?”

大队长这一气非同小可，他几乎要刮起“神经病”的耳光来了。

“报告，完结!”

他转过身来，一溜就不见了，这时气得大队长怒笑皆非，只是不住地骂着：“混蛋！混蛋!”

还有一次，全校的队伍在大操场里受检阅，每队的值星官向总指挥“报数”完毕之后，就要开始检阅了。

这时他远远地拖着枪，用快跑步走来总指挥面前，慌张地大声喊着：

“报告!”

“什么事?”

“小便。”

这些靠近检阅台站着的学生，都哄然大笑起来，台上的长官们也都抿着嘴低下头来暗笑，好在这是一位顶顶大名的“神经病”，否则，他非受严重的处分不可的。

他有艺术的天才，绘画更是他的特长，学校的标语宣传画，几乎有三分之二出于他的手。就仅仅因了这一点，官长们都站在爱惜人材的立场上，原谅他一些言语行动越轨的过错。但后来终于把他禁闭起来，据说因为他有一次说了许多带有某种反动嫌疑的话，所以不能不请他尝一尝铁窗风味的生活。

容贞，这位喜欢擦点粉，衣服穿得很整齐的女兵，她为了没有经过请假的手续，偷着跑出去看她的爱人，回来便被送进禁闭室，饭也不给她吃，而且第一天连一滴水都不给她喝。门口站着守岗的，虽然也是同学，但谁也不敢送东西给她吃；我们从洗脸房出来，如果跑去探望她一下，给值星官看到了，他马上便板起脸孔说：

“你们也想要进去吧，好的好的，一块儿关起来!”

她一连禁闭了三天，还没有释放的消息，谁都替她着急，觉得杨连长这次的处罚，未免太苛刻了一点，对于女兵，尤其是初次犯规的，应该特别原谅。我和树蓉两个人更加难过，每次偷偷地替她送馒头去时，总看见她的眼里含着盈盈欲滴的泪珠。她躺在一块硬板子上，仅仅只有一条灰色毯子，便桶也放在里面。每天只送两碗白饭，一碗盐水给她吃，我跑去问连长为什么不给她菜吃，他回答我：

“犯了纪律的人，才送进禁闭室，她现在是个犯人了，应该受这种苦的待遇，如果住的吃的都和你们一样，那么，谁也愿意犯法了。”

“她什么时候可以恢复自由？”

“只要她自己认错，明天就可以放出来。”

本来的规定只禁闭三天的，谁知因为容贞的个性太强，不肯认错，所以又加了两天，后来为了马桶问题，改良吃饭铺位等问题又和连长闹过一次，连长说她是有意捣乱，所以再加了两天。这样一来，容贞禁闭一星期的消息传遍全校了，大家都提心吊胆，生怕自己也有那么一天来到。她被释放出来以后，脸色似乎苍老了许多，精神也没有以前的活泼了，大家包围着她问：

“黑房子生活的滋味怎样？”

“你这次是为爱而牺牲的吧？”

初入伍的时候，我们在“军令如山，党纪似铁”的纪律之下，因了请假迟归，或者吃饭站队时笑了一声而被罚立正的，几乎每天至少有两个人。我虽然没有住过禁闭室，但罚站却在三次以上。

说来惭愧，自己早就应该受处罚的；虽然我入的是这么军纪森严的军事学校，我们的待遇完全和士兵一样的，但天生成的我那种爱好艺术，爱好自由，完全和孩子一般的性情，无论如何也改不掉。自从连长有次在我的讲桌里发现有小鸭，小猫，洋娃娃，小鼓小锣以后，他就常常骂着：“学文学的人是浪漫的，不能革命的！”

受了这一个刺激以后，不但小玩意任他没收，而且连我从长沙带来的几本小说，我都丢在储藏室的角落里不看了，每天和眼睛接触的尽是些农民革命问题，世界革命史，经济学，政治学，军事学……等，尤其是那本《步兵操典》，几乎有大半可以背得出来！

也许是所谓江山易改，本性难移的原故吧？如何克制自己的情感，下决心要把自己锻练成一个铁一般的性格，但那种孩子气，永远也去不了，还记得有次在野外演习，休息的号音一吹，我赶快丢下枪爬上一条水牛的背上玩去了。

王排长气愤愤地走来责备我的时候，我却以笑容回答他：

“排长，学校里没有马给我们练习，只好骑骑牛。”

这话引得连长和同学们都大笑起来。

血的五月

这鲜红的，用革命先烈的血染成的五月呵，只有在一九二七年是这么被我们热烈地庆祝过……

只要不是冷血动物，只要不是反革命者，无论老的少的，小脚妇人，谁都举起打倒军阀，打倒帝国主义的拳头，站到飘荡在空中的革命旗帜之下来了！谁的脑海里都深刻地藏着一个坚强的信念，明天是我们的世界，明天是新社会产生的日子，明天是我们脱离奴隶的枷锁，开始做人的一天。

伟大的，不可抵御的群众之力！因了他们整千整万颗心的团结，整千整万个人的力底团结，仅仅在一点多钟内，居然把英租界收回了。没有消耗一颗子弹，没有流过一滴血，就这样轻轻地由万万千千的劳动者，学生，军人，革命的老百姓，用团结的力把紧紧地被握在帝国主义者手中的一块地盘夺过来了！真威风呵！停在长江中的十余艘军舰，不但不敢靠近岸来，而且架好了的机关枪，都被我们搬过来了，开机关枪的刽子手——水手们，一群群拼命地往他们的军舰上爬，为了看到这些来势汹汹的群众，为了我们团结力的坚强，帝国主义者和他的子孙们，没有一个不骇得屁滚尿流，战战兢兢的。

伟大的，不可抵御的群众之力，我还是第一次见到这么惊人的！

得到这一次的胜利，更加强了每个民众的自信心！最后胜利，一定属于我们的，只要我们团结，只要我们不怕牺牲，军舰不敢开拢来，刽子手愿意丢下机关枪逃走，他们害怕什么呢？——群众的力，力的团结！

在鲜红的五月里，国际工人代表团来到革命中心地的武汉了，工农革命的领袖也来到武汉了！我们整天忙着欢迎，忙着操练阅兵，忙着出特刊，写标语，传单。

用大红布写着的标语，挂满了两湖书院，挂满了武汉三镇。在欢迎大会的那天，各国的革命领袖，都带着他们自己国里的兄弟们的心和我们的交换，他们的力和我们的团结；七十余岁的老头汤姆，演说完了，从口袋里拖出一块像一面大旗帜的红绸巾来往空中一挥，跳起脚来，大声叫着："世界革命成功万岁……"

接着台上台下的人一齐叫喊着，跳着。

站在广场里的两万余人都发狂了，好像明天真的世界革命就要成功了似的，谁都忘记了黑暗，只望见光明，谁都不感觉痛苦，只知有快乐，一颗欢乐的心像燕子似的飞在天空里翱翔。

在鲜红的五月里，邓肯跳舞团，也来到汉口的血花世界表演了。一群天真活泼，强有力的少女们，披上血红的绸子，在淡绿色的灯光下唱着"想我们受过，多少奴隶，劳动的沉痛！"

那种整齐活泼的步伐，雄壮的歌声，感动了每一个观众，鼓动了每一个观众的热情，大家也和着高唱起："通红的火炉，烤干尽了我们的血汗……"

半夜，无数的人群像浪花似的从血花世界涌了出来，谁也赞美着：

"伟大呵！像这样有力的革命跳舞，我生平还是第一次看见呢。"月儿亮晶晶地照在马路上，寂静的夜里，充满了5 | 1 7 1 2 | 1 7 6 5 | 1 7 1 2 | 5——. 0 | 底歌声。

在鲜红的五月里，三寸金莲的姑娘婆婆们，也都从工厂里，茅屋里跑出来集合在阅马厂开会了。

“走快一点呵，王大嫂，别人都站好了队呢。”

“脚痛呀，你家。”

“你家赶快放了它吧，革命时代，不应该裹脚的。”

“小时候裹的呵，没得办法，你家。”

她们自从经过了“三八”节之后，大半都认识自己是个和男子一样的人了！可是她们是这么可怜，一双脚裹得像红辣椒一般，走起路来东倒西歪，每次要她们参加群众大会时，总是苦痛地说着：“脚痛，走不动呵，你家。”

“走不动也得走，这是我们应当参加的工作哩！你家！”

这是她们自己姊妹们的回答，多么有力的句子呵！

在鲜红的五月里，我们的嗓子叫哑了，我们的脚底走得起泡了，晚上只睡五个钟头，工厂里，茅棚里，学校；十字街头，汉阳门，江汉关码头……何处没有我们的足迹呢？

呵！五月，鲜红的，用革命先烈的血染成的五月呵，你永远被纪念在我们的心里，可是一九二七年那些热烈地纪念你的人们，又不知有多少做了烈士？

出　发

突然得到一个命令，女生队要挑选二十个出来组织宣传队随军北伐，第一个目的地是河南。

“报告连长，我要去北伐！”

“报告连长，我是北方人，正好去宣传北方的民众！”

“报告连长，我的身体很强健，一定打胜仗的，我要参加北伐！”

杨连长的房里简直像一个被击穿了的蜂窝，来来去去的，尽是我们的同学。

“大家不要闹，谁都要参加北伐的，不过是迟早的问题，这次只挑选二十个身体健康，跑路很快，而能做文字宣传，或口头宣传的去，其余的以后再分几批出发。”

杨连长不慌不忙地说着，每个人都希望自己有当选的希望。我高兴极了，我想：我的身体很健康，又能跑快路，又能写几句文章，我应该有当选的可能吧！

果然，第二天的清晨，杨连长在报告我们出发河南的名单了，第二个就是我的名字，上帝！我该没有听错吧？女生队该没有第二个谢冰莹吧？我喜得发狂了！散了队后，立刻去收拾行李，又写了一封出发前给三哥的信，谁知第三天的早晨，他忽然出现在女生队的通报处了。

“怎么？你来干什么？三哥！”

我又惊又喜地问。

“昨天晚上，接到你那封说要出发的信，写得太悲壮了，我一面交给印刷工友去排，一面叫了车子到东站，搭八点半的特别快车来了。”

他的声音有点颤抖，泪珠在眼眶里游泳了。我害怕受他的影响，连忙把视线集中在那块写了“革命者，不流泪，只流血！”的九个大字的标语上。

“二哥大概早已到了河南，我这次去，一定可以会到他，三哥，你也来吧，我们在前线上相见，多么痛快！”

我说了之后，望着他勉强地笑了一笑。

“你们出发的消息，我不敢告诉家里，如果父母亲知道了，真不知要怎样地伤心！”

真的，我不知那时候一颗心怎么这样像石头一般的硬，我始终没有流泪，内心里只是充满了快乐和兴奋。

“可以请假出去和我喝一杯酒吗？”

“不！临到要出发的时间，纪律更严了，今天要不是你直接找连长，说明特地从长沙赶来的，恐怕还不能会到我。”

“那么我只好走了，立刻还要搭火车回长沙。”

“好的，打了胜仗回来再痛饮吧！”

就这样，他说了“好好保重”的话后含着泪珠儿走了，守卫的同学向他敬礼，（因为他也是穿的军服）他也忘记了回，我连忙向她补行了一个举手礼，她因为没有听到我们的谈话，还把三哥当做是我的男朋友，在向我开玩笑呢！

等着！等着！出发的日子还是遥遥无期，我们二十个人正在焦急得要哭的时候，突然又接到一个紧急命令，说敌军已到了汀泗桥，要我们立刻全体动员应战，否则，他们马上就会打到武昌来了。于是当夜大队长招集全体男女同学训话，把我们组织成一个中央独立师。第二天清早出发，女同学除了留三十多个在后方做宣传和救护的工作外，其余的全体出发。

第二天，早晨五点钟的时候，我们已经整装待发了。

女生队的门口，好比一条缺了湜的河，站在门口看热闹的，送行的，像水一般地在激流着，汹涌着。有几个老太婆，竟湾下腰来向挂了斜皮带的官长哭着求情：

“我的孩子不能去打仗的，我只有她一个……”

“我的女儿不能去，她如果有什么不幸，我也活不成的。”

哭声，吹号声，笑声，呼唤声打成一片。

“老太太，你不要伤心，我们要打胜仗回来的！”

“老太太，你不要耽心你的女儿，我们都是有父母的孩子呢。”

“开步走!”全体队伍开动了，群众的欢呼声，口号声，我们的歌声，号声，奏成了一曲悲壮的，勇敢的前进曲!

“努力杀敌，凯旋归来!”

群众的声音，像战鼓似的在我们的耳边响着。

“努力杀敌，凯旋归来!”

我们完全喜狂了，也学着大众的声音一齐叫喊着，精神抖擞地走向沙场去……

“从军日记”

比我们先一天出发的男生队，已经在汀泗桥和敌人开过火了。当火车停住时，我伸出头来一望，猛然地看到几个受了伤的同志，痛得在血泊里打滚：“妈，妈呀，痛死我了!”沉痛的，凄惨的呼救声，真令人听了心寒。还有两个是死了的，鲜血染红了整个的头部，脑浆也迸出来了；另一个是断了一只手臂的，眼睛还在半开着。我们请求排长允许我们下车，去救那三个受伤的同志，同时把那两个死了的埋了他。

“不行，火车就要开了，前面的工作比这还紧要，这里等下一定有救护队来抬的。”

排长严肃地说，我的心里，充满了悲壮而凄凉的情绪，我开始领略到战争的残酷了!

一连三天，都没有好好地吃过饭，每天从早晨六点吃了饭，一直要到晚上八点或九点过后才有吃。在行军时间，才知道士兵的生活，真是人类中最苦，最可怜的！有时，粗糙的米，还伴着许多谷壳，每餐像嚼沙子一般不能咽下；菜呢？更不要说了，为了便于携带，老是煮着一锅发了霉的臭豆豉，散了许多盐在里面，简直咸得不能进口。但是奇怪，当我饥饿了的时候，这些粗硬的饭和臭豆豉，竟比鸡，鱼，肉还要好吃，爬进口里，像龙珠米似的，一溜就溜到喉管里去了。

六月。正是一个热死人的季节，汗珠像雨点一般流下，流多了，衣服像刚浸过水来似的，全身都被一块湿布裹着，走起路来，怪难受的。一只脚板像踏在火炉上一般发烧，脸上的皮，开始一层一层地脱下来了。“热呵，热呵！”的呼声，到处都可听到。但谁也没有怨恨，谁也不想向后转，或者开小差。谁也甘愿忍受目前一切的困苦艰难，而把快乐寄托在“打胜仗”的上面。

有时污池里的水，不但供给我们洗脸，洗衣，而且也供给我们做饮料；男同学还把它当做游泳池在里面洗澡呢。

在这样有意义，有趣味的特殊生活中，我开始写《从军日记》了。用膝头当做桌子，每天在行军时休息的几分钟里，或者牺牲了睡眠，在豆大的灯光下，我写着一天的生活，寄给编中央日报的长胡子老头孙伏园先生。谁知不幸，有一次在铁路旁边，我因为要去解决小便问题，便把毯子，包伏，水壶，饭盒等通通丢在草地上，等到跑出来搭火车时，我的全都家当，已经不翼而飞了。起初还以为是那位同学代我拿走了，后来把全火车上在座的都打听完了，并没有谁看见，唉！完了！我辛辛苦苦写的日记，连自己都没有看一遍，就这样无影无踪了。因为受了这个打击，又加以每天跑路太疲倦，（每天平均至少都要跑八十里，有时例外，还要跑一百二十里）工作又忙，所以日记就不能继续写了，只写了些通信，一直到现在，（而且到永远！）那时候的生活，我都一点一滴地记忆得清清楚楚，每到一个地方的印象，每一个和我接近的群众底容貌，我都活鲜鲜地刻绘在脑海里。只是奇怪，写起文章来时，像着了魔似的，我的笔尖下再也写不出第二本从军日记了！谜！这真是一个不可解释的谜！

三个老囚犯

一群农民杂在我们的队伍里，用索子绑来了三个土豪劣神，当他们被送进那间广阔而黑暗的临时拘禁所的时候，忠实的农民简直快活得要发狂了！

"哼！你原来也有今天！"

一个十四五岁的孩子，这样用手指在装有一格格圆柱子的门上，如果再伸长一点，简直就要触着那个看来似乎有六十多岁的白胡子老头儿的脸上了。

三个人都是同样地流着汗珠，喘着气，他们的眼睛里，仍然放出凶猛的火焰，但不像平时一般有威风，白胡子老头儿正在眼泪双流，他不住地摇着头，手被绳子反靠着绑起来了，他们今天是从四十里外的城隍庙里抓来的。

“哭什么？你娘的，难道还有人同情你吗？”

由人丛里发出另一个声音，好像是一位小兵说的。

“哈哈哈，那个老家伙也弄到了，痛快，痛快！”

“官长！他们平日是最压迫我们的，非赶快枪毙不可！”

“要把他们的老婆儿子都抓来！哼！那些母夜叉真正厉害！”

“哼！平时我们全村人的生命都在他的手里，今天他们的生命，都到了我们的手里了，哈哈哈！”

从外面挤进来看老囚犯的人，像潮水似的涌进，嘈杂的语声里，夹着胜利的，愉快的哈哈，每个农夫村妇，甚至几岁的孩子的脸上，都充满着骄傲的胜利的微笑。他们都伸长着脖子往黑房子里探望，好像生怕那三个囚犯立刻就要从门缝里逃走似的，他们紧紧地把监门堵住。

“同志们！请出去，我们要开饭了。”

倒是小号兵勇敢，他从里面跳出来对大众说，手里拿着吊有一块大红绸的喇叭，放在嘴边做着要吹号的姿势。

“同志们，你们都去吃饭吧！我们来守卫。”

一个雄纠纠的青年农民，突然地用力挤向前去。

“好，我也来一个。”

噹噹噹，外面的锣声响了。

“这是干什么的?”

“开群众大会。”

于是他们又像浪似的退出去了，有几个走了又回转头来再三嘱咐着说：

“同志们！不要让他们逃走了，这是三个最恶的家伙!”

这晚的守夜，轮流到我了。本来我不是这一队的，因为一位同学去开会去了，她要我代替她的职务，我很高兴。要在平时，对于值夜这工作，我最害怕，因为没有月亮的晚上，确实太黑暗太凄凉，一个人拿着枪站在那里，好像幽灵似的总有点感到害怕；却是今晚我的胆量忽然壮起来了，精神也特别兴奋，好像那三个俘虏，就是被我一个人抓来似的，感到一种说不出的愉快！当我背着枪，在监门口走来走去的时候，那个年纪最老的白胡子老头儿，总是苦丧着脸哀求我说：

“官长，释放了我吧，我是个好人，他们冤枉抓了我来。”

另一个瘦得像一根枯柴，只有皮包骨的四十多岁的矮子，竟跪了下来，不住地向我叩着头：

“官长，可怜我吧！我一家大小二十多条命，都靠我生活的，我并不是土豪劣绅，你救救我，官长，你救救我。”

两行清泪，从他那凸出的眼睛里流了下来，另一个带近视眼镜，牙子熏得乌黑的鸦片烟鬼也跪下来了，他不住地作揖叩头，但我只当没有看到一般转过脸去，仍然很悠闲地踱来踱去。

“什么官长，我是个看守兵，不要做声，这么晚了还闹什么？”

我从来没有像今天这样大声骂过人，今天，哈哈，今天我是个管理囚犯的看守兵了，应该显得威风的；可惜我的声音还不算大，他们认得我是个女兵，以为女子的心是软的，因此他们拼命地哀求。

“哼！救救你，不要梦想！你知道你曾经害死过多少人？你剥削农民，压迫农民，你自己想想这一生一共做过多少坏事……”

我更来得凶恶了，每说一句话，就用枪往地下一顿，可是他们并不停止向我磕头哀求。

“看守官长！我确确实实是个忠厚人，没有做过坏事的，你去村里调查吧！”

“用不着调查，是你们本村的老百姓抓你们来的，你想，我们才到了这里，怎么知道你们是坏东西呢？”

“我只是有一次对王三麻子有点过不去，一定是他报私仇的！官长！救救我吧！”

这是矮子说的。

“革命军不许有人报私仇的，今天他们几百人来抓你们，大家公认你们是无恶不作的土豪劣绅，难道这也是报私仇吗？瞎说！”

“哎哟！我的骨节要痛断了，官长，请你大发慈悲，解开了索子吧！”

鸦片烟鬼又在呼冤似的大嚷起来。

“混蛋，还不安静一点，再要闹，今晚就拖去枪毙你们！”

要不是我这一声镇压他们，还不知要咕哝到什么时候。

虽然现在他们不敢大声吵了，但哀怨诉冤之声，仍然不断地响着，这使我感到了讨厌。

十二点了，连长跑来看了一看，他用手电往里边一照，突然惊讶起来，

“喝！那个老胡子那里去了？”

“就在门边。”

“呵——你要好好看守，不能打瞌睡，跑掉了，是要你的命的！”

“是！”我连忙立正敬礼，他却匆匆地跑了。

月亮像玉盘似的挂在中天，炎热的暑气完全退尽了，

一阵阵清凉的风从天井里吹过来，外面不断地有人走来走出。隔壁房子里四五个女丘八在谈论今天开妇女大会发生的事情：

“真的太混蛋了，他说老婆不该去参加妇女大会，回来就用刀子割去了她的耳朵，还在她的腿子上砍了一刀。”

“你们怎么知道的？”

“一个她的邻居来营部报告，当时营长就派我们八个人去缉拿凶手，谁知那王八逃走得太快，我们去时早已无影无迹了。”

“一定躲在什么地板底下，或者屋角里，牛栏里，你们因为人少，所以没有发现。”听声音这是淑昭说的。

“你倒说得好，什么地方没有寻过？连粪缸里我们都用棍子捞过了。”继宗急得跳起来，她是“驳壳队”的队长。

“哈哈，难道他还像粪蛆一样真的钻到粪缸里去吗？”

我一时忘记了自己的职务，便也插进去和她们攀谈起来。

一阵大哈哈过后，她们又出去开会了。

在军事紧急期间，我们是这样不分昼夜地工作着，忙碌着的。

也许因为太疲倦的原故，我终于坐下地来了。照军纪上说，这是千不该万不该的，但腿子实在站酸了，她们又因为有事，过了四个钟头还没有派人来接班，为着要看守敌人，我不敢有丝毫的疏忽。坐在冰凉的石块上，虽然感觉无上的舒适，愉快，但苦了两只眼睛：一面要望着门口是不是有官长来查夜，或者同学来接班；一方面又要眼睛睛地看着那三个老东西，生怕他们把索子解开了在里面闹起来，监门又不很结实，假若是三个有力气的人，也许已经冲出来了！

“官长，我口渴死了，给我一点水喝吧！”

又是那个老胡子在捣麻烦。

“不要闹，等天亮了，会给你们东西吃的。”

“等不到天亮了，官长，做做好事，给我们一点水喝吧！”

“就是要杀头，也要使我们做个饱死鬼呀！”

真看不出那个鸦片烟鬼，原来他是这么凶恶的。

“我偏不给你水喝，看你怎么样？到了这个地步，你还敢拿出土豪劣绅的威风来吗？”

老胡子和矮子连忙向我道歉，要我看他们两人的面子给一点水喝，我知道他们明天就要枪毙了的，连忙用杯子倒了一杯茶送到老胡子的嘴边，那烟鬼还在想挣扎解脱索子，自己接过杯子来吃，我用上了刺刀的枪住里面一刺，他吓得连忙规规矩矩地坐下了。

第二天的早晨，太阳刚刚出来的时候，广场上挤满了男男女女的群众，和我们的兄弟们。主席台上坐着各乡的农民代表，有一个正在激昂慷慨地演讲那三个土豪劣绅的罪状，每说一项台下就大声应着：“对了，对了，他正是这样压迫我们的，还有……”

“枪毙！枪毙！快一点！快一点！”

“让我来开枪！”

“每人砍一刀吧！”

“要把他们拖到台上来，杀给我们看！”

“……”

罪状宣布了之后，三千多个群众，再也不能等待了，他们高举着粗大的拳头向前拥挤着，叫喊着！

“革命军是为劳苦的工农大众谋解放，谋利益的，王富财，郭寿康，这两个土豪，还有王兴祥这个劣绅，都是农民群众们亲自绑好送来师部的。今天在大会上，又经过各乡的代表宣布了他们平日压迫农民大众的十二大罪状，又有三千多群众举手赞成枪毙，这是全体农民的主张，我们当然要执行。好！现在就把他们带上台来枪决吧！”

“好……”大众的呼声。

主席这样宣布之后，拍！拍！拍！一连响了三声，立刻这三个罪大恶极的魔王，就这样鲜血横流地结束了他们的生命。

如暴雷一般的掌声，口号声，伴着洪水似的笑声，充满了躺着三个死尸的广场。

夜间行军

晚上八点钟的时候，突然接到师部的命令，第三连要开拔到距离峰口四十余里的青山坳去驻防。据密报，还有小部份残逆躲在山坳里，我军今晚前进，说不定在半途就要开起火来。

“夜间行军，自从出发以来，今天还是第一次，过惯了学校生活的你们，也许有些胆小或者吃不下这种苦的，但你们现在是士兵是战士了，生命都可以牺牲，自然不怕吃苦。我现在要告诉你们的是夜间行军，为的避免敌方注意，同时因奉紧急命令，所以要在今晚十二点之前达到目的地。这条山路听说非常不好走的，又不能打手电，你们要好好地走，不要心慌，不要害怕，即使摔了一交也不要做声，轻轻地爬起来就完事。各人的手要按着枪柄，免得和水壶饭盒相撞，发出叮咛当啷的响声来。记着，要大家绝对遵守镇静的纪律，不许开口说话，不许走得太重，脚步要轻轻地像老鼠子似的……”

杨连长说到这里，大家“呲”的一声笑了出来。

“咧，还没有开步走就笑起来，这成什么话！等下如果有人在路上笑的，他就有意扰乱，给敌人知道自己的队伍，简直等于通敌，那就非严格处分不可！”

大家的笑容还挂在嘴边没有消失，但谁也不敢笑出声来了。

“杨连长究竟是个丘八出身，如果说脚步要轻轻地像燕子似的，那句子多么富有诗意。”

解散后，我附在光慧的耳边说着，害得她连眼泪都笑出来了。

我们的队伍像长蛇似的开始走动了，起初还可以听到水壶和饭盒相碰的声音，后来经过排长轻轻地叮咛过几次，真的半点声音也没有了。有些穿了新草鞋的，从脚底下发出尖锐 gê gaê gê gaê 的响声来，刘排长又站住了。

“谁走的这么响?”

“报告排长！没有办法，我穿的是双新草鞋，今天早晨才买的，这有节奏的声音，是由那里发出来的。”

这是刘传万声音，他简直在写文章。

“不要啰哩啰苏，再要响，把它脱光打了赤脚走!”

老刘害怕打赤脚，因为刺会跑到肉里去的，他真的骇得只敢轻轻地像老鼠似的走了。

夜，黑暗得伸手看不到指头，对面看不清人，天上地下黑漆的一团，更分不出东西。每个人都像如履薄冰似的，小心翼翼地走着，忽然“噗通”一声，前面有谁掉在水里了，队长暂时停止了一下，于是叮咛当啷的声音又起了。

“走！走！前面快走!”

又是刘排长的声音。

“一身都是泥浆了，眼睛打不开。”

刚从水里爬出来的那个人，可怜地回答着。

“打不开，也要走的！”

立刻，有人掉下水的消息，全连的人都知道了，大家互相警戒着。“小心走呵，不要跌倒。”

路，真的太难走了，有时上山坡，底下流着声音洪大得像瀑布一般的溪水，虽然看不见那不知若干深的巨壑，但由水声里可以听得出，这里确实是个危险的地方。

“后面小心，这里有一个深潭，大家慢慢走，掉下去不是好玩的。”

这声音，是由走在最前面的那个发出来的。

听到深潭，大家都害怕起来了。如果真的掉了下去，不能爬上来，而队伍又走了，剩下自己在泥浆里打滚，那时不知要怎样着急；即使爬了出来，又辨不清东南西北，走错了路又怎么办呢？甚至还有些过虑的，想到如果这时有敌人来，实在不好应战，他们一定藏在深山里；而我们左边是峭壁，右边是深渊，不要说一枝枪没有地方放，真的打起来，还不知有多少“噗通噗通”掉下水里做虾蟆去的呢。

“报告连长！打一下手电吧，前面太危险了！”

谁在大胆地说着。

“不能打手电，这是很险要的地方，说不定有残敌埋伏在那里，慢一点走好了，千万要静。”

这时紧张的空气，包围了每一个人的身心。也许是初次经验夜间行军生活的原故吧，大家有一种好奇心，希望真的有敌人从深山里钻出来，我们倒好迎头痛击。而且在黑茫茫的夜里，什么都看不见，只听到“劈拍！劈拍！”的枪声，红光爆发的炸弹，那该是多么美丽的夜景，多么雄壮的音乐！

还有，因为看不见敌人的多寡，看不见血肉模糊的死尸，作战时一定更有精神，更加勇敢。夜的空气是静穆的，严肃的，紧张的！一想到为真理而战，为光明而战，为全人类中的被压迫阶级而战，就会精神百倍起来。但同时我也想到过，晚上开战，分不清敌人和自己的弟兄，一定会误杀多少人的。

深潭过去了，现在走到了一处左右都是高山的地方，山像屏风似的夹住一条小路。

“拍！拍！拍！”

忽然隐约地听到了几声枪响，大家打了一个寒噤。

“停住！”连长发命令了，“听一听，是不是枪声？如果前面有敌人，后面三排埋伏，前面尖兵队预备开枪，不要慌张，没有得到命令，不许乱开枪！”

每个人的心里都充满着紧张，兴奋的情绪。连长又继续着说：

“千万不要害怕，他们是残敌，不堪一击的；作战时大家要沉着，勇敢，不怕牺牲！”

大约过了三四分钟，空气又恢复安静了。好像敌人就在前面似的，我恨不得立刻打先锋冲了过去。队伍走得很慢，我有点不耐烦起来，连忙从一个一个的身边挤了过去。

“干吗这样向前挤？不许扰乱秩序！”

班长在骂我了。

“我要到最前线打冲锋去！”

我勇敢地回答他。

“噗通！”突然我的右脚踏进了水里，幸而左脚站得稳，身子没有倒下去。

“呀！又是谁跌倒了？”大家很开心地问。

“我！”

我像很害羞似的连忙爬起来赶上前去。

“还说冲锋，走路都要跌倒，唉——”

另一个男同学故意轻轻地讥讽我，引得大家都笑起来了，为了他最后的一声叹息，拖得很长很长，连我都忍不住笑了。

光慧走不过我，她早已落伍了，她的脚也是小脚，比我的要短半寸。可怜的她，五岁的时候，就做了妈妈的牺牲品！

晚上行军，再舒服也没有了，虽然没有月亮和星光，我们要像瞎子似的摸着走，但带着花香迎面吹来的清风，像冰淇淋似的沁入我们的心脾，令人感到一种说不出的愉快。尤其当它从树梢轻轻地掠过，发出清脆的哨声时，简直是世间一曲最美，最悦耳的令人陶醉的音乐。

走着，大家寂静地走着，在每个人的怀里，藏着一颗追求光明，追求革命的赤心，跳跃着，燃烧着！虽然一连走了三四个钟头没有休息，但谁也不敢说疲倦，谁也精神抖擞地在追赶着前面的队伍。

突然，在那遥远的山边，发现几点红光了，这是黑暗中的曙光，我们的目的地快到了！

"走上前去呵，曙光在前，同志们奋斗！"

我首先放开嗓子唱着，大家都一齐唱了起来，雄壮的歌声，冲破了黑夜的沉寂。

解散的前夜

事实完全如我们所希望的一般，一个月零四天的战事，如今告了一个段落，我们是高奏凯歌归来了！虽然这次西征，牺牲了七十余个同学，百多个教导队的同志，然而我们获得了好几千枪枝，建立了革命的基础，在每个民众的心里，树下了永远不可动摇的信念。我们最大的胜利，就是从军阀手里得到整千整万认识我们，信仰我们的群众！革命的种子，散布在我们到过的任何地方。

胜利，我们是得着最后的胜利归来了！

是从前线归来的第七天晚上，天上没有月亮，只有几颗闪烁着的星星。我坐在吕静（她是女生队的看护长）那里谈天，告诉她关于行军时候的生活是如何快乐有趣的时候，忽然听到号兵在吹集合号了。

像平日一般，在三分钟内，全体已经整好了队报完数了。

大家眼巴巴地望着站在阶台上的五位男女官长，她们都把头低下来，不知在想些什么，杨连长开始说话了。

"各位同学！"

奇怪，为什么他今夜的声音突然改变了呢？还没有说下去，我们似乎听出他的声音在颤栗了，我害怕有什么不幸的事发生，果然，他在宣布我们的命运，宣布我们的死刑了！

"首先请大家要镇静，不要慌张，要勇敢，不要害怕。"

——怎么，难道又要我们出发吗？那有什么可怕呢？

我心里这样想着。

"这是一个很不幸的消息，请大家听了不要伤心！革命者受挫折，受阻碍，这是常有的事，我们应该再接再厉，绝不可灰心的！"

——他究竟要说些什么？

“因为反动势力太大，为了要保存我们革命的实力，……环境逼着我们，不能不暂时解散……”

这是晴天一声霹雳，午夜的一颗炸弹，它炸破了二百五十颗热烈的心，炸毁了二百五十个人的生命！大家都像失掉了知觉似的再也无心听下去了，然而杨连长的声音更悲壮地在继续响着：

“当然，这绝不是害怕，绝不是不抵抗，我们无论如何要做最后的挣扎！你们身体好，能够跑路的，就跟着十一军出发，否则，各人回到自己的家里去，暂时忍受一点苦痛，不久的将来，我们也许要过比现在更痛快，更自由的生活了！现在每人发十元钱的遣散费，明天起快拿去做衣服化装，灰衣是不能穿的。”

天，这是怎么回事呢？为什么要解散我们？我们的希望，我们的理想，难道真的只能昙花一现就消灭了吗？

杨连长报告完了之后，接着是每个官长的沉痛的演说，她们的每句话，都是那样深刻地烙印在我们的脑海里。

“只要你们的信仰始终不变，只要你们时时刻刻都想到为革命而牺牲，那么，在目前如果生活没有办法时，就是去当军阀的姨太太也未尝不可以，只是你们千万不要沉醉在物质的享乐中，而忘了自己的使命。你们总要有一天刺死那万恶的军阀，才不愧是一个受过革命洗礼，受过军训政训来的战士，方不愧是一个有志气，有思想的勇敢底女性!”

这些话，像一把亮晃晃的尖刀，刺进了每个人的心里，有很多在流泪了。明天！唉！想不到我们所期待着实现的明天，竟是埋葬我们的地狱！回到封建的家庭去，唉！有谁愿意呢？

整个的晚上，我们都没有睡，就这样大家围坐在操坪里呼口号，唱歌，演说，一直闹到天明。

第二天，武汉的女生，陆续地回家了。花花绿绿的衣裳，代替了威威武武的军装，我因为脚痛不能走路的原故，只好化装和树蓉、翔霄她们一路回到长沙来。

这样轰轰烈烈，开世界先锋的女生队，虽然解散了，但她的精神，是永远存在着的！一九二七年的革命种子，散布在中国的每一个城市，每一个农村，我永远地坚信着：最后的胜利，终久是归我们的！

第五章　家庭监狱

归　来

为了便于自己裁制起见，我和树蓉、翔霄、珊珊买了同样的白虎绸，各人做了一件没有领子的长西装。所谓西装，并不是像西洋女人穿的那么漂亮的时装，不过没有扣子，领子是桃形，穿起来时，只消往头上一罩就行了。

我们的头发都是剪得很短的，尤其树蓉的完全剃得像个芒头一般，只这一点，无论我们化装的技术怎样高明，人家一看就会知道是拿过枪杆来的女兵。还有，我们晒黑了的皮肤，和因为握枪柄弄厚了皮的右手掌，也是一个给人认识我们的标记。

“军服脱下了，什么时候再穿呢？”

当我说这句话时，竟滴下了两颗热泪，树蓉也忍不住哭起来了。

四个人望着摆在床上的新衣服，像牧师在替死人祈祷似的，默默地没有半点儿声息，谁也不愿意脱下那套灰布衣服；尤其那根被我们弄得很光滑很柔软了的皮带，真不愿把它解下来。记得最初系它的时候，大家都感到麻烦，而且硬硼硼地缚在腰上，怪不舒服的，因此散了队后，第一件事就是把皮带解开，让腰部大大地运动一下，有时竟忘记把它系上，就跑去出操，为了这，连长骂我们不守风纪，常常罚我们立正。后来慢慢地习惯了，除了睡觉，简直一刻都离不了它，我常把它和枪当做我的爱人般看待，尤其冬天需要它紧紧地缚住我，使冷风不能侵入，周身都是暖融融的。至于枪，更比我的生命要宝贵，毁灭旧的制度，创造新的社会都需要着它。可是现在呢？什么都没有了，不但枪离开了我们，而连一根小小的皮带也不能保存了！唉，……

一直临到要离开武昌的那天下午，我们才在无可奈何中换上了新制的衣裳——很像一件简单的跳舞服。四个人跑去一个很小的照相馆，拍了一张照，留做解散后的纪念。还跑到百货店，每人买了一顶草织的洋帽戴着，以遮蔽这个见不得别人的头。

上火车了，仅仅只有鸿凄然地走来送我们。一个月以前我们从这里出发鄂西时，是多么威风凛凛，轰轰烈烈，今天，第二次离开武昌的今天，却是天色沉沉，狂风怒号，每个行人的脸上，都罩着一层阴惨惨的苦闷。

凄凉，说不出的凄凉愤慨，填满了我们的心胸，要不是那坚强的信仰，和未来新社会的红光在主宰我们，诱惑我们，谁愿意苟延残命呢？铁轨上，难道不是很好的葬身之地吗？

火车一停下来，就有警兵上来盘问每个旅客的来历，检查他们的周身和行李。为了我们的皮肤和服装，太令他们注目了，好几次几乎被他们识出破绽来；幸而好，那位和树蓉同乡，在某军当副官的李先生，特别保护我们，每次遇到检查，都说我们是他的家属，在汉口教会学校读书，放暑假同来的。

“家属？家属那里有这么多？一定是女生队的×××！”

车到了岳阳，来检查的更加严厉，他居然说出那样的话来，幸亏李先生的口才好，终于拿出官长的威风来把他们压倒了。

到了C城，第一个困难，就是没有住处。住旅馆，不但找不到担保的人，而且四个人合拢来的财产都不到六元，怎么住下去呢？我大胆地带着她们三个走进了一位同乡兰的家里，她是我在大同女校时的同学，而且和我感情很好的，想来她不会拒绝。谁知我们一走进门，兰就发抖起来，她忙附在我的耳边轻轻地说道：

“你们为什么在这个时候回来？这里是个恐怖世界，杀人比宰鸡鸭还多，我家里不能留你们，无论什么客人来，都要经过五家承认，懂得吗？五家联保，警兵每天都要来查几次，何况你们又是从武汉回来的……”

有什么办法呢？在别人的眼里看来，我们比洪水猛兽还可怕；但是说句良心话，这位同乡不敢留我们在她家里住，也的确有她的苦衷，我们应该原谅她的。

树蓉和珊珊，第二天就回去了，我为了脚痛得太厉害，只好在兰那里借了五元钱来住公医院。我用了谢天的名字去挂号，那天医院刚刚开始诊病，我是第一号，于是看护和医生都笑我是个“天字第一号”的病人。有个姓陈的看护，日夜陪伴着我，安慰我病中的寂寥，她像吕静一般温存体贴，虽然住了一个星期，病还没有好，但精神上却得到了不少的安慰。

借来的钱又用完了，没法，只好和翔一同回去，明知此去是吉少凶多，但为了负有解除婚约的使命，再危险些也要回去的！

抵蓝田的那晚，恰恰是四更时候，当我叫开裕通恒的大门时，他们都疑心是我的幽灵归来了，决不相信我还活在人间。因为半个月以前，他们听到一个消息，说我在前线打死了，现在突然一个活鲜鲜的鸣冈站在他们的面前，怎不叫他们怀疑，惊讶呢？

被母亲关起来了！

两个瘦小的轿夫抬着我一步步地走近了我一别两年

的故乡时，我的心也跟着渐渐地沉重起来。

“鸣叔，快到了呵！”

翔在后面的轿子里喊我。

“唔……”

过了一座茶亭，就是一条小小的街道，再上去不到半里路，那所特别高大的新造屋子，就是我的家了。

我生怕熟人望到我，连忙将头低到胸前。在望见了那所我第一次见到的新屋时，好像有一种微弱而沉痛的声音在我的耳边响着：

“这就是禁闭你的牢狱呵！”

然而我并不害怕，我是下了奋斗的决心才回家来的，牢狱虽然建筑得这般坚固，但我相信我的力一定能冲破它的。

到家了！姊姊和嫂嫂，母亲，还有许多孩子们都出来迎接，她们的脸上都堆满了笑容，紧紧地握着我的手，孩子们都扯着我的衣服问：“还认得我吗？姑姑！”尤其高兴的是白发萧萧的老母亲，她喜欢得连眼泪都流出来了。

“儿呀，你瘦了很多了，在外边真苦呀！”

母亲用衣袖擦眼泪时，姊姊和嫂嫂也陪着哭红了眼睛，只有三岁的芸宝，在牵着我的手问着：“姨妈，你给我买了洋娃娃带回没有？”

进门，我就看到了堂屋里摆了许多漆得红红绿绿，金光闪闪的各种各式的木器，我知道这就是替我预备的嫁㚎；我真替母亲叹息，冤枉花了这许多钱！

午饭后，她们领我参观新造的房子。这虽是旧式的建筑，房间却很宽大，光线也十分充足，空气不用说，在这样水秀山青的乡间，是最新鲜的了。听母亲说，本来的计划，是正屋两栋，横屋两栋，但为了经济不够，这时还只建筑好了正屋，但已花去三千多了。楼上因为窗户开的太高，光线很暗，不适宜住家。砖，石，和楼板是再坚固也没有了！如果帝国主义者不用炸弹大炮来毁灭的话，恐怕三千年过后，它还是不会损坏的。我对于这样宽敞，坚固的房子并不感到什么，因为我是绝对不愿老死乡村的，即使她有罗马的教堂那般庄严，华丽，我也不会住到这里来的。

“你看，娘是多么为你操心呵，为了漆这些木器，我有两个多月没有睡了，括风的天，生怕灰尘落在金纸上，常常睡到半晚爬起来用油纸盖上，白天又怕孩子们去弄脏了，或者麻雀飞来撒屎在上面，一天至少都要看几十遍；天天都要去监工；否则也许两年都漆不好，现在三十多件木器都漆好了，被窝，帐子……也都办好了，只等你回来缝衣服。”

母亲一口气说到这里，我半句话也没有回答，只是低着头走着，她还以为这是少女害羞的常态，于是更愉快地说着：

“这次真是菩萨催你回来的，自从知道你‘当兵’去了，我就天天过着以泪洗面的生活，我唯恐你在外边有危险，日夜为你烧香问卦，在菩萨面前许愿。起初听到你去打仗的消息时，我还急得晕过去三次，有一次足足死了一个多时辰才苏醒过来的。萧家也很挂念，常常打发人来探听你的消息，邻居都担心那孩子没有福气得到你，现在好了，谢谢天地菩萨，你已平安归来了！”

满肚子要说的话，我竟不知从何说起，在父亲还没有回来之前，我想还是不提到解除婚约的好，母亲是这样顽固的女性，和她说，一定没有好结果的，我忍耐着过了两天的哑吧生活。

谁也没有料到乡里的消息灵通，竟比无线电还来得快，萧家已经知道我回来了，竹林——未婚夫萧明的叔父——写信来要求我家看日子接亲，大哥连忙拿着信来问我：

“怎么回答他呢？”

“你说等父亲回来再说好了。”

信是照我的话回复了，可是这问题怎样解决呢？萧家既已知道我回来，结婚期当在不远，我如果不赶快进行解除婚约的工作，那就来不及了。事情真凑巧，刚刚这天晚上父亲从他的朋友家里回来了，看了竹林的信，他立刻找我谈话，并问我结婚期究竟定在什么时候好。

“我这次是专为此事回来的，爸爸，我前次写回来的信，想必你老还记得很清楚，我和肖明是绝对不能结合的！他与我不但没有半点爱情，简直连感情都没有，他的思想，兴趣，都不和我相同，他的个性，能力，……我完全不了解，怎么好同他结成夫妻呢？”

“怎么？不能结合，难道你想离婚吗？”父亲一开口就拍起桌来大骂，母亲更是气愤愤地满口“畜生，畜生！”的骂个不休，但我仍然很从容地回答他：

“是的，这次我是专为了要与肖明解除婚约才回来的。”

“喝！你想解除婚约吗？除非你永世不归来，现在既回到了家里，还想逃婚吗？不怕你有天大的本领，也逃不出我的掌中。”

母亲更来得厉害了，她做着要打我的姿势；父亲也气得远远地跑开了。我知道这时不能再继续谈下去，便退到寝室里来给他们写了一封五千多字，说明为什么要解除婚约的信，谁知第二天父亲看了之后，不但不为信中的话所感动，反而严厉地责备起来：

“看了你的信，知道你要解除婚约的理由，最大的有两个：（一）没有爱情，（二）思想不同。现在我来答复你：第一，爱情只有夫妇间才有的，爱情的发生，是在两人结婚之后，绝对没有在结婚之前而能发生爱情的；现在你还没有和他结婚，当然没有爱情。第二‘思想’两个字，只能用之于革命同志，而不能用之于夫妇之间，试问，你和他是结成夫妇，组织一个‘夫唱妇随’的美满家庭，去传宗接后，能够主持中馈，就是个模范的贤妻良母，你又不是和他去革命，要思想相同干什么？”

“爸爸，要结婚后才能发生爱情，那只是你的恋爱哲学，那只是封建社会独有的怪现象。在现在，男女二人，一定要经过情感的进化，才能达到结婚的目的，最初由认识而成朋友，由朋友的情感，进到恋爱的阶段，爱情达到最高点时，两人就结合而成永久的伴侣，这就是所谓夫妇。至于思想一致，更属重要了！朋友两人的思想不同，尚且不能成为朋友，何况夫妇乃是一生的快乐与幸福的创造者，如果思想不同，各走各的路，爱情立刻会破裂的。况且现代的结婚，绝不是像封建时代一般，它的目的仅仅在组织一个家庭；现代的婚姻，是与改造社会有直接关系的，两个人结合了，并不是只求自我的享乐，主要的在两人同为社会服务，努力干着创造新社会的工作。因此他们不但是夫妇，同时也应该是挚爱的朋友，忠实的同志；肖明的思想是与我相反的，根本就失掉了和我结婚的第一个条件。”

“哼！思想？女人要那种危险的革命思想干什么？不过你是受过几年师范教育来的，将来结婚后就允许你在乡间当一个小学教师好了，我相信他决不会阻止你的。”

“快不要和他辩论了！”母亲连忙接着父亲的话大嚷

起来："这东西简直不是人，父母大于天，岂敢和我们做对！送你读书，原望你晓得礼义廉耻，谁知你反成了畜生，连父母都不要了！婚约是父母在你吃奶时替你订下的，你反对婚约，就等于反对父母！你如果做出这种无人格，没有廉耻的离婚事出来，败父母的名誉，羞辱祖宗，我就要……"

"'洞庭湖里水飘飘，好夫好妻命里招，'无论是什么样的人，许配了他，就要嫁给他的！何况萧家有财产有名声，萧明也是个好人，并没有瞎了眼睛，跛了脚；要知道'千里姻缘一线牵，'夫妇是前生就安排定了的，怎么能反对呢？"

听了这些话，我连冷笑的反应都没有，我早就料到了她会说出这些话来的。

"在现代，虽然不能强迫你'嫁鸡随鸡，嫁犬随犬，'但像肖明一样的人，无论如何是可以嫁的，看他写给你三哥的信，尚能通顺达意。"

倒是父亲的这几句话，几乎引得我笑了。

最后一句话说得太有趣味了，实际上，他的确是个连信都写不通的人，在小学读书时，有位教我，同时教过他的国文教员谢先生曾对我说过这样的话："你和你的未婚夫何以相差这么远，你在学校的成绩占第一。而他恐怕要倒数第一呢。"后来我接到他几封给我的信，才看出他的学问，智慧，原来的确像谢先生所说的一般，这样一个脑筋简单，没有思想的人，我怎能与他结合呢?

母亲又在骂了，她说想不到送我读了这许多年的书，回来是如此令他们失望的！她从此再不送大哥和三哥的女孩子读书了。听到这几句话我倒有点替孩子们担忧，她们现在还是小学四年级的学生，根据我过去的经验，母亲是决不许她们读更多的书的，加以我这次的事发生，一定更要借口不再送她们进学校了。唉！孩子们呵！将要降临到你们身上的不幸底命运，是我赐给你们的呢?还是社会?

正在沉思间，忽又听到父亲的咒骂了：

“学校不知是什么魔窖，凡是进去的人，都像着了魔一般，回来闹着离婚，只要是父母代定的婚姻，不论好歹，都要离婚。”

“那当然，父母怎么知道儿女需要什么样的妻子或丈夫呢?婚姻是人生的一件大事，当然要由自己做主，才能选择到好的!”

我知道这几句话，会引起他们的痛骂，但如果不说出来，我的脑子将要胀破了。

“快不要丢丑了，一个闺女，也能选择丈夫的吗?萧家的名声很好，他的三伯父曾做过省议会的议员，在县里极有名望，全家都在外边读书，你的婆家送到我家来的礼物也不少了，前年你的未婚夫，又亲自跑来替我拜寿，如果你现在做出这样的丑事来，叫我如何对得起他们!”

“俗语说：‘好马不吃回头草，好女不嫁二夫郎。’你还记得《列女传》的故事吗?”

“哼!《列女传》她还读吗?”母亲还没有说完，父亲忍不住连忙接着说：“她只看些什么自由恋爱这一类的小说，什么谁家少女为婚姻不自由而自杀，谁家儿郎为反对旧礼教而与家庭破裂这一类的报纸，她受了这些报纸小说的影响，所以也回来反对父母，反对礼教了!”

“笑话！礼教也敢反对的吗?”母亲越来越威风了，“它是数千年来圣人立下的……（这下面的字句她不晓得如何说，所以我用点子代替着）谁也不敢反对，难道你是一个女孩，也敢反对礼教吗？唉！你也不想想，贞节碑坊是如何树立的呀！人家十二岁的女孩就知道守节，而你们这些讲自由的人，恐怕一年嫁二十四个，还没有丈夫过年!”

“哼……”我由鼻孔里轻轻地哼了一声，并不想和她辩论半句。现在我更加知道和她讲道理，是绝对没有用的，惟一的办法是和她誓死奋斗，下个不达到解除婚约，誓不甘心的决心。

“贫富虽由天定，但也要人为，萧家的财产很多，你也能够赚钱，将来两人成家立业，慢慢地会成为个财主，有田有土，多么享福!”

上帝，她越说越糊涂了，这些话是多么令人心痛呵。

她侮辱了我，蔑视了我的人格，根本她不了解她女儿是怎样的思想，怎样的人格，怎样的个性与志愿，她以为我是嫌贫爱富的，所以尽量说些发财的话给我听。

“不要说这些与我不相干的话了，我愿意嫁个和我有爱情的穷光棍，但决不愿意和有钱的人结婚！”

我愤愤地说着。

“不和他结婚，你打算怎样？”

母亲在桌上大拍起来，这自然恐吓不了我，只是我倒担忧她打痛了掌心。

“她打算要离婚。”

父亲代我回答了，这时我真感激他。

“不离婚她怎么样？”

“她信上说，不离婚就自杀！”

“好吧，她只管死吧，我空空地抚养她到这大，还送她读了这多年书，也许是我前生欠了她的孽债，到……到如……今……她……她……”

母亲忽然放声大哭起来，眼泪，鼻涕，口沫流了一满桌，头，不住地在壁上乱碰，父亲生怕她受伤，立刻奔过去紧紧地抱着她。听到哭声，姊姊和嫂嫂也都跑过来了，正在她们手忙脚乱的时候，我偷偷地溜了出来，跑到野外去散步。

太阳暖融融地照着，可是我的心是凄凉的！

远远地一个穿白长衫的男人向我走来，仔细一看，知道这是大哥。

他问我一个人在这里想什么心事，我把刚才那一幕滑稽剧全盘告诉了他。迟疑了很久，他皱着眉头忧郁地说：

“你不应该回来的，现在既到了家里，怎么能跳出火坑呢？我想……”

“你想什么？难道要我牺牲，真的和肖明结婚吗？”

“我……我是这个意思。”

“不！我绝对不能和他结婚，我要奋斗到底！”

“母亲比历史上古今中外任何专制帝王还厉害可怕，难道你还不知道吗？我为了没有得到她的同意带你嫂嫂去益阳，回来时，她说我犯了‘逆亲顺妻’的罪，罚我跪了两小时，头上还顶着一大盆水，这件事我是永远不能忘记的！还有，你二哥，三哥和你姐姐的婚姻，都是痛苦到了极点的，但谁也不敢提出离婚的话来，你虽然比我们都勇敢，但你恐怕只能在外面打仗，而不能回家来革命吧？”

说到最后，大哥笑起来了。但我严肃地回答他：

“大哥，你不要讽刺我，不要估计我的力量太小，老实告诉你，我是早已知道回家就会被禁闭起来的，但我如果不将婚约解除，我在外边将永久不能和别人结合，肖家无论什么时候都可持着婚书来找我捣乱；为了免除麻烦，为了我要正式向封建社会宣战，所以我一定坚持到底，不达目的，决不干休！我宁可为反对礼教，推翻封建制度而牺牲生命，但决不能屈服在旧社会的淫威之下……”

“我要回去了，万一给母亲知道我们在这里谈话，还以为我是和你有联络的。”

可怜的大哥，每分钟都在东张西望地注意，看有没有人望到了他。

“好吧，你只管回去，我不愿连累你以及其他任何人。”

“好的，祝你孤军奋斗成功！”

他仍然带着讥讽的笑容走了，我还独自在田陇间徘徊了很多时候才回家。

我没有吃晚饭，为的是不敢看父母亲的两副冷铁一般要吃人似的面孔。黄昏刚过去，我就躺下床睡了。

姊姊，大嫂和三嫂，知道我很伤心，特地跑来安慰我，她们不敢多说话，更不敢大声说，因为母亲就住在我的隔壁，我们的一举一动都能听得清清楚楚。她们唯恐母亲听到了她们的说话，每个人都挨到我的耳边来，细声地说着要我不要过于悲伤的话。她们的头发虽然剪了，但因为常常擦生发油的原故，有一种令人嗅到立刻就要作呕的臭气，冲进鼻孔里来，我总是拒绝她们的好意，希望她们整天不来我的房里。

姨母也被姐姐请来了，她是母亲的第二个妹妹，就住在我家从前的旧房子里，她的丈夫在县里的教育局当门房，每月只有六块钱的薪水；两个儿子都在军队中服务，小的当排长，大的曾经当过团附，不过因为自己太好嫖赌了，完全不遵守军队中的纪律，所以被撤了职，现在还不知流落在什么地方。姨母本来有三个儿子，一个女儿，前年最小的两个不幸因病死了，她为了这一对极聪明的孩子之死，所以伤心得竟哭瞎了眼睛。她是一个绝对的“命运论”者，一切都相信是前生安排定了的。她信仰神，每天念经，吃素，迷信比母亲还厉害，可是她的思想不像母亲一般顽固，她允许她儿子在外边娶亲，死去的女儿长到了十岁，也没有给她订婚，她常常劝导母亲：“现在的世界变了，你不要对待儿女太厉害，他们自己有学问的人，是想干一番大事业的，你不要拘束他们吧。”但母亲不但不接受她的忠告，反而每次责备她太没有做家长的资格了：

“无论世界变到什么地步，父母还是父母，自己生的儿女，假如还不能服从我，我怎么能征服别人呢？”

姨母听到了她的“父母大于天”的话，也没有什么可说，只好低着头答应“是，是。”

可怜她此刻来到我的房中，坐下去，半天还不敢开口，一直听到母亲在和长工谈话，她才敢小声地对我说：

“鸣冈，你初回来不要和你母亲闹吧，她的脾气向来是很大的，你顺从她一点好了。婚姻是前生注定了的，丈夫虽没有你的聪明，你屈就一点也无妨，将来大家都说你好，万古传名，多么威风！”

“姨妈，不要说了吧，我的痛苦是你们任何人不能了解的，我并不希望你们来安慰我，请你们从此不要理会我吧。”

我恨恨地说着，眼泪如瀑布一般泻了下来，具有慈悲心肠的姨母，也陪着我流泪，姊姊更是哭得像泪人儿似的。

从今天起，我开始过着监狱似的生活了！

夜，静寂的，幽暗的漫漫长夜。

在乡间，晚上过了八点钟，就静寂得像死一般，但家里的人今天特别睡得迟，也许是大家在议论我的事，窃窃的谈话声，一直到十二点过后才停止。

月亮爬上了中天，淡淡的光辉射在我的帐子上，一只蚊子在嗡嗡地叫着，除了这微弱声音在打破夜之沉寂外，我几乎怀疑我已躺在阒然无闻的坟墓中了。

翻来覆去地想着，我的问题，绝对不能和平解决的，父母已与我处在绝对相反的地位，我不能屈服，他更不肯让步，不肯放弃做父母的威权。他一定要贯澈“父要子亡，不得不亡”的封建社会的法律，而我恰恰是反对封建社会的叛徒，这样，相隔三个时代的父与女的思想，怎能不冲突呢？无疑的我只有拼命和家庭奋斗，才能获得我的自由，争取最后的胜利！

——不过事实上的确也有点困难，在乡村，除了翔一个人而外，没有了解我的人。（翔是我在小学，中学，军事政治学校的同学，在封建社会的家族上关系说来，她比我小一辈，所以总叫我做鸣叔的）姊姊她们虽常常陪着我流泪，但她并不知道我何以一定要解除婚约？何以不能像她一样忍受一切的痛苦？女子何以一定要到外面去求学，和自己爱着的人结婚？她的流泪，不过是表示她很爱我，替我伤心而已。一方面也害怕我有意外的危险，因为小时候为了读书，我曾有过一次绝食的自杀，从此她知道我的个性是坚强的，无论做一件什么事，不达到目的不止。是的，单就这一点说来，她是比嫂嫂，姨妈更了解我的，但这有什么用呢？她不能帮助我逃出火坑，她只能整天陪着我流泪，唉！流泪有什么用呢？

——翔吗？她虽只和我相隔咫尺，但不能来看我，她的家庭也和我家一样的专制，为了她反对和那个嫖赌双全的男人结婚，她现在也被软禁着了；即使万一她能够来到我这里，也不能谈什么话，因为母亲一定要在旁边监视的……

——大哥？他是这样害怕母亲的弱者，他的脑筋虽比母亲的新一点，然而那种想升官发财的思想，不完全是个封建社会的典型官僚吗？他口里虽说着同情我的话，但谁敢担保他背面不说我的坏话。唉！思想不同的人，决不肯帮助我的。

——三哥远在长沙，远水不能救近火，即使他写信回来替我说话，封建思想根深蒂固的父母，怎会接受他的意见呢？

——大哥说得不错，我是孤军奋斗，但没有援助我的人，奋斗的结果，恐怕只有失败吧？

——自杀，倒是个最好的办法，忍受一刹那的苦痛，解除了一生的烦恼，忧愁。人生究竟有什么意义？迟早是死，无论在生时做过多少伟大的事业，建立过多少奇功，一到最后的一口呼吸停止时，什么都没有了。一切都是幻灭，一切都是空虚。牺牲了吧，与其将活跃跃的生命付与别人去宰割，不如痛痛快快地死在自己手里；生命是我的，当然我有权利来处理，死吧，死是我最后的安息，也是我最后的胜利！

想着，绞断肝肠一般地想着，我似乎觉得除了“死”，再找不出第二条出路了。昨天我还以为父亲会同情我，会因我那封一字一泪的信而感动，可是今天的事实，证明了他是和母亲站在一条战线上的。他的强硬，冷酷的态度，那里是过去用皮袍裹着我睡觉，最痛爱我的爸爸呢？我这时完全明白了情感是什么东西，在与自己的利益有冲突时，儿女不认父母为父母，父母更不认儿女为儿女，各人都为着自己的环境，自己的利益，自己的思想而斗争，情感这东西，是多么可怕呵！

富于情感的人，最好是不要了解情感的究竟。我现在了解了这点，推翻了母爱高于一切的哲学，我的心几乎痛得要破碎了。最爱自己的母亲这样不爱惜我，同情我，还有什么可留恋的呢？

月色由黯淡而渐渐地消沉下去，远远地听到犬吠的声音，我家的雄鸡，也在喔喔地开始啼了，房子里忽然黑暗得可怕，我知道这是黎明将到的象征。父亲和母亲在开始谈话了，但声音太低，无论我怎样留心静听，也听不出半句来。

——死？难道你真的只有死路可走吗？为什么不想想自己的前途，自己的志愿？你常常责备自杀的人太没有勇气，太懦弱，太不中用；求生，是一切生物的本能，何况一个有万物之灵，具有创造社会一切的聪明底人，不努力求生，而真的去寻死吗？你虽然是这样渺小，即使真的自杀，于社会没有丝毫影响，它决不会因你的死，而有什么损失，但你自己对得起社会吗？对得起供给你吃饭，供给你衣穿，供给你受教育的劳动者吗？你不想想，你是受过革命洗礼来的，你是负有改造社会使命的战士，你曾经上过火线，在枪林弹雨中做过杀敌救同志的工作，你曾经宣过誓，要为全世界十二万万五千万被压迫的劳苦群众底解放而奋斗；你曾否认自己是个懦弱无能的普通女子，而是个有血性，有勇气，意志坚强的人！你是反抗一切不合理的旧制度底战士……现在难道你真的忘记了自己的任务吗？死，就是表示你的失败，礼教的胜利。封建社会，这杀人不见血的恶魔，每天都张开着血嘴，在吞吃这些没有勇气奋斗的青年，你也甘愿给它吞下去吗，而且，你应该更进一步想想，自杀是多么愚笨的事呵，你死了，旧社会少了一个叛徒，就省掉一颗子弹，即使你没有勇气拿着枪，跑上战场去冲锋杀敌，也应该作一点给敌人杀掉你的革命工作。无论如何，“被杀”总比“自杀”来得伟大，来得有价值！

“生”与“死”的斗争，整整地在脑海中交战了一夜，最后，还是“生”得着了胜利。

第二天的晚上，我仍然没有睡觉，眼瞪瞪地望到月亮从黑云里挣扎出来，又从光明的地方钻回去。

我想起了白天大哥告诉我明天要去县里的话，他或者可以帮助我一点也未可知，就在银色的月光下，我偷偷地爬了起来，写了一封要他援救我的信给他。

第二天。

大哥看了信后没有说什么，只是不住地摇头表示不能帮助的样子，我又流泪了，两人默默地对坐了几分钟后，他轻轻地离开了这狭小的牢房。

我失眠的生活，从此开始了。

深夜，打开窗子放进风来，月儿早已爬上帐顶了。从前线归来，因受了湿气而浮肿溃烂的脚，痛得非常厉害，我整晚地呻吟哭泣，母亲连叫我一声都没有。唉！

现在我真的是被弃的孩子了！我再也得不着慈母的抚摸，慈母的安慰了！更永远不能和她亲吻，倒在她温暖的怀中了！“心肝，宝贝”的声音，也永远听不到了，回想以前我有病时，她整日整夜地陪着我，殷勤地看护我；现在呢？即使我死在床上，她也不会来过问的。上帝，这究竟是怎么回事呵？

月亮照着我的泪珠，滴在枕头上，这一颗颗亮晶晶的泪珠呵，你跳到我母亲的心里去吧，月亮，你将我悲苦的消瘦的影子，照到我母亲的眼里去吧！她为什么变得这样残忍，这样冷酷呢？我整整地哭了一晚，都没有听见她半点声音，她是真的睡觉了，还是故意不理我呢？妈呵！你的热烈而真挚的爱，真的不能再给与我一次吗？

…………

大哥走了以后，我每天都期待着他的来信，可是五天，十天，一个月过去了，还是音信杳然。一切只有自己靠自己，不要求人帮助了吧。我这样对天发着誓。

现在外面寄给我的书信，统统要经过父亲的检查，发出去的，更比在监狱里还查得严格，那封托大哥带到县里去发给孙伏园先生的信，幸而他藏在帽子底下，否则一定会被查出没收的。唉！这样不自由的生活，怎么过得下去呢？

翔的妹妹青青，是一个十二岁的，活泼而聪明的孩子，她在我和翔之间，做了许多令我们永远不能忘记的事。她做我们的“交通”，母亲累次骂她是密探或者间谍。她替我们送信，替我们传话，但每次都要经过母亲很久的盘问与搜查后，才允许她进我的房里来。

可怜我那时完全像一个囚犯一般，整天被关在那间小房子里，白天只有射进来的一线太阳和我做伴，晚上只有照着我流泪的月亮是我唯一的朋友；外来的人，谁也见不到我，我竟没有犯罪而做了囚徒！

有一天，突然我被母亲从“监牢”里叫出来，原来又是青青来了，我一眼望到了她，精神为之一振，好像见到了救我的恩人一般，有说不出的感激和喜悦。

“你姐姐好吗？”

“当然啰，她比你好！”

正在母亲听了这话大发雷霆的当儿，他使一个眼色在地上，随即松开了脚，让我见到被她踏黑了的纸团。

——怎么拿到手呢？

我正在想得发愁的时候，忽然来了一个人会母亲，他和那人谈话去了，我就立刻拾了纸团，回到房里去看。条子上是这么简单的几个字：

“这种生活再不能忍受了，我们决定逃走吧！”

唉！天，幸而这字条没有给母亲见到，否则，她又要闹得天翻地覆，而我逃奔的计划，也不能实现了，多么危险呵！

父亲也完全不理我了，他像以对待仇人的脸孔来对待我，明明知道我心中的痛苦，可是他连话都不和我说一句，只是每天微笑着，和孙儿们玩，我总觉得他的性格完全改变了，而且这改变，不是偶然，是必然的！母亲比他更变得厉害，整天都是扳起她那张要吃人的面孔连望都不望我，可是一遇到有人来时，他就笑嘻嘻地去应酬，并且告诉他们我是如何地听话，安守本分地在家里预备嫁衣裳。

“有家教的小姐究竟不同，在外面读了这多年书，还没有‘自由’[①]，真是你老人家的好福气。”

好几次我听到有人这样恭维母亲，真感到肉麻，母亲还骄傲地在夸耀她的威风：

“别的女人一出外便变坏了，但我的女儿，是不敢的，即使他在外面做了女皇帝，还是要服从父母之命的。”

“父母大于天”的哲学，她又搬出来了。我真替她悲哀，母亲的威权将由我一个人推翻了，如果她知道有那么一个前途，现在也许不这样禁闭我，监视我吧？

两只脚肿得像圆柱子一般，贴了药膏，仍然没有好，在乡间是找不到医生的，我懊悔不该回来这么快，但并不怨恨我不应去当兵。病是在行军时候得来的，夜晚在野外宿营，中了湿气，所以腿子就由浮肿而溃烂，唉！

① 我们乡里人，指在外面自由结婚的为“自由”。

这害死人的病脚，要没有它阻碍我，不是早已随他们出发了吗?

没收信件

这是一个使我愤恨，苦痛得几乎要自杀的消息：表弟告诉我，每次我寄给朋友们的信，都到了父亲的手里了！

“天呀！我比囚犯还不如了，他们尚且有通信的自由权，为什么我没有呢?”

我晕倒在姊姊的床上了，他以为我得了什么急症，吓得手忙脚乱，我那时只知道用拳头拼命地捶我的胸部，恨不得几拳就把我的心捶个粉碎，让鲜血流了出来，给狠心的父母看看。唉！可怜我每次半夜里偷偷地爬起来写给朋友求援的信，竟一封也不能达到他们手里，断绝我与外面通消息，这是致我于死地的惟一的方法，唉！好聪明的父母呵！

越想越伤心，泪珠儿便不住的流。

“不要哭了吧，妹妹。你即使哭断了肠子，他们也不会把信退还你的。”

倒是姐姐这几句话唤醒了我，我再也不哭了，他们既以高压的手段对付我，我也以同样的手段来回答他们吧！

逃奔的计划早就有了的，可是什么时候实行？走的路线怎样？这些都成了问题。翔也被禁闭着，不能来看我，要逃走，我们两人非同时动作不可的，不预先商量好，怎么行呢？

整整地一个月没有接到任何人的信，甚至连一张报纸都没有。我知道，一定又是被父亲通通没收了。有天他们都出去了，我想法打开了那扇通他们睡房中的门，在父亲的枕头下，搜出了一封伏园先生寄给我的挂号信，里面说已寄来二十元，要我作为逃走到汉口去的路费。可是并没有看到汇票，细看封面，信是由县城里转来的，也许钱早就被大哥用掉了，唉！可怜呵，真想不到我已陷入绝境，有谁知道我在过着这样的地狱生涯呢？

现在，我整天都过着睡眠的生活，没有书看，没有报看，也再不写信了，抽屉里除了几张去厕所用的草纸外，你再找不出可以写字的纸来。惟一珍贵的宝贝，是藏在稻草铺里的一本日记。每晚夜深，或者天还没有亮的时候，我便轻轻地捻燃了灯，躺在床上写着我的血泪生涯，写完了，仍然放在原地方。母亲没有想到我还有这么大的一件秘密，如果给她发现，那真不敢往下想了。

这难道还是人的生活吗？我再也不能忍耐下去了！

又不知他们收到了一封什么人要我逃走的信，所以这几天监视我更严！

有一天黄昏，我想偷偷地写几句话寄给伏园先生，由青青代我设法找人带去投邮，因为在房子里不能写，（现在母亲整天都坐在我房里做事）只好带支铅笔跑去厕所里写，正在把草纸摆在腿上开始写的时候，忽然厕所门开了，现出一个人头来，这就是母亲！

"怎么？你到很聪明，知道躲在这里写信，赶快给我！"

她走来抢我手里的草纸，我立刻把纸和铅笔通通丢进毛坑里，同时气愤愤地回答她：

"难道拉屎你也要来监视吗？"

"要监视，你又怎么样？"

自从这件事发生以后，母亲更把我当做杀人犯似的看待，而我也只当她是个残酷的典狱长，我们常常四五天不说一句话，像结了仇似的。

朝南岳

母亲见我的脚还没有完全好，她说这一定因了生我时许的"血盆香"没有还的原故，因此就决定八月廿八起程去衡山进香。廿七的晚上，洗好了澡，换上了洁净的内衣，第二天很早就起来，穿上母亲特地为我进香制的大红洋布衣裤，头上罩着一块红布，系了青带，对着镜子一照，我大大地吃了一惊，原来我已变成一个可怕的赤鬼了！

这种无意识的迷信，我本来从小就反对的，今天为什么像一只小羔羊似的服贴贴地任母亲摆布呢？这是有原因的：

第一，整天关在房子里，我已闷得透不过气来，做一次长途旅行，自然可以舒散一下心中的积闷，何况衡山是五岳之一，风景清幽，久为游人所赞许，正好借此机会游览一下。第二，也许我有机会从半途逃走，那时真要谢天谢地了。

从我家到衡山，有五百余里路，即使半天都不耽搁，坐轿也要十天才能打回转。自起程的那天早晨起，一直到我们回来那晚为止，全家都要吃素，我和母亲在每餐吃饭之前，还要跪在所谓三天门下叩头；更可笑的，母亲还要问卦，如果菩萨允许我们吃饭，才能起身吃，否则就要一直跪到忏悔所有的罪过，卦打转来了，才能爬起来。这是多么可怜可笑的举动呵，然而母亲还说她的虔心是可以感动动天地的。

还有，最令我讨厌的，就是唱《拜香歌》了。

南岳司天朝圣帝，安邦护国大天尊。
思想父母恩难报，发心朝拜烧保香，
保佑父母千年在，千年福寿得安康。
……………………………

这本歌，从头至尾，已经被母亲唱得烂熟了，无论坐在轿里，或者休息，早晚祈祷的时候，总是喃喃地唱个不休。可是，我手里虽拿着它，简直连翻阅一下都不愿意。

轿夫们便整天谈着关于南岳圣帝的故事：

“圣帝爷爷，简直是个活菩萨，”承南说，“有一次一个女人还‘拜香’①，她正在跪着的时候，有个过路人看到她的脚特别小，也许只有寸多长，他想用手指来量一下长度，却不料手一伸去，就永远不能缩回了，任他如何悔过，那个大拇指和食指还是伸着像一个八字，不能缩回来，你看怪不怪？”

“是的，这就是圣帝在大显神通，”承必接着说，“还有一次，一个还‘饿香’② 的人，已经饿了八天了，忽然走到一处有桃树的地方，他看见没有人，就伸手摘下一个来吃了。那知桃核还握在手里，那人突然眼睛翻白，上呕下泻，不到十分钟就死了。后来过路的人，看见他吃下去的桃子都吐出来了。哼；举头三尺有神明，真是一点也不错，他以为没有人看见，其实菩萨，什么

---

① 进香者隔五步或十步就跪拜一次的，叫做拜香。还这种香的人，服装都是一律的，头上罩着红布，系以青带，（如果是母亲死了的，则罩以青布，系以白带，）腰间围以大红兜肚。手里端着一条小凳似的香架，上面点着三根线香。

② 进香者，不吃一点东西，每天只喝几口水的，叫做饿香。

时候都在你身边的。”

“你们亲眼看到那样的事没有?”我问承必他们。

“我没有看到，但是很多人都这样说，当然是真的。”

“瞎说，我从来不相信那些木头，为什么它不在我面前大显神通。”

可怜他们连忙替我忏悔，幸而母亲没有听到，否则又不知要罚我跪几小时了。

母亲的轿子，总是走在我的后面，晚上我们是睡在一张床上的，一进伙铺，她就不许我走出房门一步，好像害怕我立刻就会逃走似的。

大约是第三天的晚上，我们住在一个叫做石家湾的地方，这是一个大院子，周围绕着一湾潺潺的溪水，绿树修竹，错杂地生长着，非常富有诗意。有一个十七八岁的姑娘，正跑出来散步，她一眼望到了穿红衣红裤的我，赶快走近来细细地看，我站起来让她坐，她就笑嘻嘻地问我:

“你是去还‘血盆香’的吗?”

“是的。”

“你读过书没有?”

“没有。”

“不像，看样子，你是读过书来的。”

“不，我真的是一字不识呢。”

她好像看相的人似的，把我从头到脚细细地打量了一番，引得轿夫们都笑起来了，母亲正在准备敬神，她没有留心我们的谈话。

敬完神后，她就向我宣传起来；

“两个月以前，我们这里有个妇女协会，是替被压迫的妇女谋解放的，所有加入过的女子，都要放足，剪发，不得迷信菩萨。”

听她的说话，知道她是个有点新思想的女子，我很高兴，立刻和她攀谈起来。乘着母亲去厕所的当儿，我跟着这位石姑娘走到她的家里，谈了半小时的话，她的母亲很开通，也不相信菩萨，递给我两个咸蛋，我连忙接过来吃了。

母亲跑来找着我了，她不管我是在别人家里，见着就大骂起来，回到伙铺，立刻要我跪下忏悔，并且说：

“老板娘告诉我，石姑娘不是个好东西，她是妇女协会的干事，也是讲自由的，你为什么和她谈话呢？”

我没有回答她，只是默默地站着。

“你没有喝人家的茶吧？在敬神时间，不能尝别人半点东西的，就是白开水都不能喝。”

“是的，我并没有喝她们的白开水。”

但是心里在想，我不但喝了茶，而且吃了咸蛋呢。

她说我不该和外面的环境接触，终于又逼着我跪下了，她要我忏悔，自己也跪在那里烧纸钱。我却在回味着刚才石姑娘说的一段话：

“妇女协会，在两个月以前便解散了，这是没有办法的事，但我们并不灰心，无论如何，总有我们出头的一天，……妇女不参加革命，是永远得不到解放的……”

五天来的轿子生活，全身的骨骼都坐痛了，清晨与黄昏时的野外风光，别有一种令人陶醉的美丽。当红日初升，万道金光射在整个宇宙上面的时候，我觉得一切都是生气勃勃的，人间就是一团火，每个人都生活在火的中间，热，有力，有光！我没有烦闷，没有悲哀，心里感到的只是像太阳一般的热，太阳一般的兴奋与光明。我似乎像天上的安琪儿似的快乐，完全忘记了人类的苦痛，忧愁；我只知道，整个的宇宙充满了美，充满了活跃的朝气，充满了无限的希望与光明！

你看：

这珍珠似的稻穗，
锦绣似的彩霞，
这清脆的鸟声，
潺潺的流水。
这清朗的空气，
袅袅的晨风，
一切都象征着美的人生，

和谐的世界!

可是，当你眼睁睁地望到时光在你的不知不觉中消逝时，你发现自己走进了另一个世界，空虚和悲哀，便轻轻地钻进你的心窝。

黄昏恰是人生的暮年，不，简直就代表着一个行将就木的人，什么希望也没有。过去像风吹散了，浮云似的没留半点痕迹，虽然灿烂的晚霞，朦胧的暮蔼，特别富有一种诗意，但那只不过如昙花一现，刹那间又被黑暗消灭了。在忧郁的时候，我总喜欢黄昏，希望夜永远支配着宇宙，索性一切人都在黑暗中过活；但究竟这只是一瞬间的思想，我仍然热烈地在追求早晨，追求太阳一般的热的生活。

到了衡山了，虽然是一个县城，比不上长沙的繁华，可是这里有一座比皇宫还华丽庄严的宫殿，烧香的人，来来往往，简直挤得水泄不通。像走马看花似的，烧完香后，就一直往祝融峰的顶上爬去，什么地方都没有参观。

从山脚到山顶，来回有六十余里，清早上去，要黄昏时候才能下来。路，像梯子似的，都是Z字形的拐湾，这里不能坐轿，只可慢慢的走。轿夫和那个挑香纸的苦力，气喘喘地跟在我们的后面走着。也许因为精神比较舒服的原故，所以这两天我的脚也不大痛了，尤其爬山的时候，我特别走得快；看看母亲追不上了，但她的嘴里还在不住地念着拜香歌，我回头一看，她停住脚了，好像全身都在发抖似的，我忙跑转去，劝她坐下来休息一会，她突然跪下来了：

“圣帝爷爷，你饶恕了她吧，她是个无知的小孩，信口开河，求圣帝大发慈悲，放了她吧。”

“怎么？我又没有说错话，为什么要忏悔？”

我严重地问她。

“无论怎样难走，都不能休息的，只要诚心诚意想着圣帝，她就会使风来吹你上去的。”

“好吧！那么你等着风来吹送吧。”

这句话又说错了，母亲罚我跪了几分钟，自然少不了又是忏悔。

路上有好几处用茅草盖成的茶亭，里面有开水，红薯，玉米出卖，我总喜欢坐在那里看风景，或者买东西吃。

快到南天门了，母亲忽然肚子痛起来，一步都不能走了，她要轿夫把我喊转来跪下忏悔。

“又是为的什么呀？”

“你一定要跪下，我不能走了，完全因为你有过的原故。”

“笑话，我有过，圣帝为什么不处罚我呢？”

“不要多说，赶快跪下！”

没法，我只得服从她的命令。

她休息了一会，就恢复了疲倦，才继续着走，可是顽固的她，还在对轿夫们说着："圣帝爷爷，真是千灵万灵，一点也不能瞒他，要不是孩子跪下悔过，我的病决不会好得这样快的。"

我很想告诉她，圣帝就是自己，肚子痛，喘不过气来，是因为走得太快的原故，休息了一会，当然会好的，但我害怕又要跪下，只好不说了。

经过了南天门，狮子岩，念松庵，就到了祝圣殿，这里离祝融峰不远了，是一个很大的殿，里面挤满了些正在忙着焚香打卦的男男女女，有些还饿香的，简直瘦得只剩一张皮包骨了。还拜香的，正在高唱着："一拜天皇并日月，二拜地府并乾坤……"整个的殿里，充满了烟雾朦朦的气氛；钟声，鼓声，木鱼声，闹成一片，每个人都像着了魔似的，跪在道士的后面喃喃地祈祷，在这一刹那间，我简直把这儿比成了地狱，每个面黄肌瘦的香客，都像地狱里的鬼使一样。

我正在看得入了神的时候，却被母亲拉着跪下来了，为了那个所谓圣帝爷爷不肯领受我的香（这是母亲说的）足足打了三十多个卦，母亲老是逼着我叩头悔过，但我的脑海里，那时正在记着隔壁那位妇人的叩头数目，已经数到六十了，她还没有停止。

满以为把香烧了之后，就可从容地游览风景，谁知母亲像来的时候一般，一刻都不许我停留，就匆匆地走下山来了。

失败了，我的计划完全失败了，既没有时间游览风景，更不能乘机逃走，除了沮丧地跟着她回来，还有什么话可说呢？衡山第一次给我的印象是这么模糊，除了领略到山峰的高，路径的陟绝外，什么美感都没有。但是我看到了许许多多的怪现象，尝到了一种人家没有尝过的生活滋味，——唉！那是多么愚蠢得伤心的滋味啊！

惨痛的恶耗

是一个雨天的黄昏，姨妈偷偷地送来了一封三哥给我的信，还没有打开，我的心就突突地跳个不住，我知道这是个不祥的预兆。果然，信纸上画着几个大大的字，二哥死在南京了。

天！一星期前，刚刚收到他的来信，难道真的死了吗？……

我不知那时的生活是怎样过去的，我失去了灵魂，失去了生的兴趣，再也没有奋斗的勇气了，我整天都想死，都想到黄泉之下去寻找痛爱我的二哥。

我们虽然有五兄妹，但感情和我最好的要算二哥。我在小学读书时，他就介绍新的小说给我看；写了很多很有趣味的白话信给我；考进女师以后，他极力诱导我走上文学之路，那时他在山西进山中学教课，薪水并不多，但每年他至少要寄二十元或三十元来给我买书。后来回到了长沙，更介绍许多世界文学名著给我看，如果我有不理解的地方，他详细地替我讲述。一九二六年的春天，他的肺病发了，每天要吐两三痰盂的血，在湘雅医院诊好后，就在岳麓山的昆涛亭疗养，那时我牺牲了学业，整整地伴他住了四个多月。因为他只能喝点牛奶鸡汤，白天我就专门替他看脉搏，量温度，热牛奶，煮鸡汤；晚上，我在他的床头轻轻地唱着我们孩子时代常唱的安眠歌催他睡，说些学校里有趣的故事给他听。有时我过江替他买东西去了，三个钟头不见我，他就急得吐血；回来，他流着泪牵着我的手说：

“好妹妹，你以后再不要离开了，我宁可不吃东西，只愿你整天坐在我的身边。”

那时三哥在岳云中学教课，他只能在星期日来看他，平时除了一个煮饭的孩子而外，就是这一对相依为命的兄妹两人，住在这寂静的山上。

记得是一个初夏的晚上，月光如水银般倾泻在大地上，晚风自树间吹过，发出轻微的哨声。小虫在草里唧唧地叫着，整个的麓山，恰像一个美丽的仙女浴在月色之下。看守墓庐的朱三，和做饭的小东早已睡熟了，二哥要求我扶着他去外面看月亮，我害怕他一经运动，血管又破裂吐血，极力阻止他，但他坚持着要去，没法，只好先摆好睡椅，然后扶着他出去。一只脚刚踏出房门，他就大叫起来：“呀！美极了！美极了！月光如水水如天。”

我也因为他的高兴而愉快地笑了，说完了后面一句，他自己也大笑起来。

“妹妹，你看我病得多么可怜，连打油诗都不会做了呢!”

我扶着他躺下，微风吹散了余热，也吹走了二哥的病魔。他快活极了，慢慢地和我谈着他在烟台海边看月亮的景致。

“海的伟大，海滨夜色的美丽，是你梦想不到的，今年暑假，如果我的病完全好了，我一定带你去烟台或者青岛去。”

由于调养得法，他的病一天比一天地好起来了，可是另一个不幸的命运，又降临到了他的身上。他爱上了一个朋友舒瑞余女士，起初两个人都是一见倾心，不久，爱的热度，便达了沸点；不料时间还不到三个月，这位女士突然不理二哥，另外和一位旧情人要好去了。二哥受到这个打击，就立刻离开了长沙，跑去武昌参加革命。他那时担任第四军军部的秘书，和他的好友鸿在一道，生活过得很苦，一只行军床，一床军用毯，枕头用几本书代替着，这就是他卧室的全部陈设了。

我在过着入伍生活时，他每个星期都买了糖，熏鱼，五香牛肉到女生队来看我和几个朋友。

“哥哥，下次再多买些来，否则，我不见你的面。”

我是故意向他撒娇，他却生怕我真的不见他，有次竟买了六大包东西来，花生，瓜子，糖，虾米……凡是我喜欢吃的，通通有了。他故意把每包都打开，放在会客室的桌子上，我们正在吃得津津有味的时候。忽然一声哨子吹，连忙丢了点心去集合，他见会客的时间已过，只好匆匆地回去；等到我们操了两点钟回来，花生和瓜子都无影无踪了。我以为是二哥恶作剧，故意带了回去，后来一问，才知是值星官说这些有壳的东西肮脏，他把它没收了。

六月，他出发到河南去了，并没有告诉我是那天走的，只是在路上来了一封很悲壮的信，末了两句是这样写的：

“亲爱的妹妹，我走了，你不要难过吧！不久的将来，我们就会在前线握手。”

几天之后，我也出发鄂西了，从此我们地角天涯，音信断绝，回到家来，写了好些信给朋友，打听他的下落，都说不知道，正在焦急万分的时候，忽然接到他一封报告吐血甚剧的信，我的回信刚刚发出，不料这惨痛的恶耗突然来到了！

我不能往下写了，二哥之死，在我的生命史上，是最伤心的一页，我的心深深地划上了无数血淋淋的伤痕；我像失掉了灵魂一般地整天叫着“二哥！二哥！”有时哭着，有时笑着。

她们都说我疯了。

我知道二哥的死，是封建社会逼死他的，我要报仇，我要将万恶的封建社会，打个落花流水。

晚上，我吹熄了灯，静静地坐着候他的幽灵归来！

可是，一夜，二夜，十夜，……在我的流泪与叹息中过去了；房子里静悄悄地并没有看见他的影子归来。

我吐血了，多么鲜红的血呀！我希望有和二哥一样的结果，我希望变只小鸟和二哥飞去青岛，飞去烟台，飞去喜马拉雅山，还要飞到世界上最寂寞的海岛上去，最美丽的树林里去，我们要飞到海的尽头，天的顶点去，那是多么广阔无垠的世界呵，任我们翱翔，任我们游历。

二哥死的消息，谁听到都是很伤心的，父亲几乎到了心痛欲绝的地步，母亲也晕倒过两次，但她一面在每天哭泣二哥之死，擦干眼泪时，又在为我预备嫁奁。我以为她有了二哥的教训摆在面前，或者她从此减轻对我的压迫，甚至允许我解除婚约也未可知，岂知她仍旧固执着她的主张，始终要贯澈她的思想。

唉！亲爱的母亲，封建思想的忠实信徒呵：难道杀死了一个还不够吗？

秘密会议

这是一个很好的机会，我和翔假托烧香拜观音菩萨的名义，来到朝阳庵了。这天恰是阴历的九月十九——

所谓观音菩萨的第三个生日。从早晨七点钟起，就继续不断地有一大群一大群的女人，拿了香纸去拜佛，母亲是特别信仰观世音的，只要我真的说一句去烧香的话，她一定允许的。虽然聪明的她，生怕我借故和翔去商量什么秘密计划，但是她的自信力特别强，以为无论我怎样厉害，总是逃不出她的手掌的。

我和翔是完全为了商量逃走的问题，才来到朝阳庵的。

我们也提着篮子，里面盛了些线香，木香和纸锭。木香上面写着“信女谢鸣冈叩还观音大士保香一炷”等字。

匆忙地把香烧完了之后，（我们还跪在地上叩了四个头）就想偷偷地跑到山顶上去商量我们逃走的计划。谁知又被那些拜佛的女人拉住了，要我们替她们写木香上的字，好容易写完了，才有机会给我们溜开。

在一处古柏树最多的山坳里，我们膝头紧靠着膝头地坐着，枯黄的树叶，随着秋风在天空中飞舞，哀怨的蝉声，似哭泣一般地叫着，本来寂静的山林，这时更加凄凉起来。

“翔，我真没有想到，回来是这样受罪的，我的生活，简直比囚犯还不如！”

仅仅只能说这两句话，我的喉管咽住了，再也不能继续下去。翔是不容易流泪的，她只叹了一口深长的气，很久才回答这么几句令我失望的话：

“我也没想到你的母亲是这样残忍，这样顽固的。但你既已回来了，就只好忍耐，万一忍耐不住，我们就逃走吧！”

“难道你还忍耐得住？”

我打断了她的话。

“我当然不能忍耐，而且知道你更比我不能忍耐，所以我想在今天商量一个怎样逃走的方法。”

“是的，我早已打定主意，要实现远走高飞的计划了。就在最近走吧！什么都不要带，只要逃去了虎口，我们即使沿门托钵，或者替人家当丫头，也比较现在的生活要痛快些！即使没有人雇我们，讨不到饭吃，因而我们活活地饿死在异乡，我也愿意的。就这么决定吧，我们只要约定一个确实的日子，和相会的地点及时间，出发时不要在一块，免得别人看出了我们的秘密。”

刚谈到这里，母亲着人来找我们了。

两个人藏着满腔未说完的话，又只好怅惘地回到了黑暗的牢狱中。

眼见得自己的计划，一步一步地在实现，内心是多么高兴呵！我每天都要对姊姊她们谈好几次的话，我告诉她们我是怎样了解母亲的爱我，以及我过去思想的错误，现在完全觉悟了，人的一切，的确在前生就安排定了的，以后我要安守本分地过生活，父母大于天，我们是应该绝对服从的。这些话初传进她们的耳里时，总带着怀疑的态度问我：

“你们读书的，也相信菩萨吗？”

“要不是读书的人信菩萨，为什么会写出一大本一大本的《金刚经》、《佛经》给你们天天念呢？”

她们笑了一笑，似乎表示我这话是对的。

以后母亲看见我帮着她收拾箱子里的衣服，绳线，布匹，刺绣……等等，居然什么事都要和我商量了：

“衣服，就随你的意思做去吧，只要你喜欢什么样式，就叫裁缝怎么做好了。不过你不要缝的太短，乡里人不开通，他会笑你穿袄子的；还有些绸缎，我是替你保留了十几二十年的，都给你做夹衣服吧！至于红的缎子，除了给你做被窝外，遗留有两节，将来等你生了孩子后，再替外孙做花帽。”

听了这段话后，我想告诉她：“妈，你不要做梦了！”但为了要实现我的计划，我咬着牙根忍耐着，而且故意装出羞答答的神气回答她：

“妈，衣服最好少做几件，免得将来换了式样又不时髦，布也少带些去，横竖娘家我每年都回来几次的，难道不能一次一次的做吗？”

“娘家你是埋‘胞衣’的地方，当然你可以常回来，但这次是做新娘子，不多缝几箱衣服，要给人家看轻的。几多人家卖了田地来嫁女，你姐姐的婆婆嫁女时，竟有三十二床绸子被，二十八床毛绒毯，还有四百租的田契，不过他们真的是卖了田地来摆阔的。我不赞成太奢华，东西只要够用，不太寒酸，就得了。”

“妈，你嫁姐姐太阔气了，我看了很痛心！父母辛辛苦苦积得的钱，应该留着以后慢慢地用，你和父亲都老了，也应该多吃些滋补的东西，我是只爱读书的，出嫁的时候，只要父亲送我几箱书就行了。”

“好子不要爷田，好女不要嫁妆，孩子，你究竟是个知礼义的读书人。”母亲从心坎里发出愉快的微笑来了。

父亲听了我要他送书的话，他也快活得连胡子都竖了起来。

“好的，好的，只要你专心读书的话，我一定送你四箱子书。”

有时在寂静的午夜，我想着他们的悲哀，竟难过得流下泪来。父亲是最爱二哥和我两人的，而现在二哥是死了，我呢？将比二哥更使他们伤心，他们也真像含泥砌巢的燕子一般，——“燕子含泥空费力，养大毛儿各自飞。”母亲教给我儿时的歌曲，如今是做了她自身的写照了。不过这，是没有办法的，人生来就是整个的属于社会的，“父母的儿子”底时代早已过去了，社会的进化，时代的洪流，已隔开了父与子的关系，这决不是人类的感情起了什么变化。

第一次逃奔

记得清清楚楚的，这是十月十八日的那天，裔吾叔母请我和父母亲三人去吃早饭，这半年来无论谁来邀我出去，母亲总是拒绝的，不知怎的，这次竟答应了。但为了这天中午，自己家里也要请客，她要办菜，没有功夫去，只好要三嫂陪了我去，名义上是陪，实际上是监视我的言语行动；父亲当然要去的，他负的使命也许比三嫂的更大，不过在那时，我敢断定，谁也没有料想到会有什么意外发生的。

“喝，你也来了！”

当我一眼望到坐在已经摆好了杯筷的桌子上的翔时，我欢喜得几乎要流泪了。

“请坐，请坐，祖母为什么没有来呢？”

她连忙站起来，让出自己的位置给我坐。

这天主人是请一个新娘子，我们都是陪客。酒席有三桌，女的占了三分之二。和我同桌的除了三嫂和新娘子而外，其余都是“闺女”，我们像平时一般地玩皮，不住地找新娘子开玩笑，但隔壁有位老太太告诉她说：

“新娘子，你不要胆小，她们两位也快要做新娘了，你就大大方方地告诉她们一些新娘子应当知道的常识吧！”

这话引得大家都哈哈地大笑起来，我和翔有些难为情，脸上红得像夏天的晚霞一般。

酒席很丰富，本来乡下普通请客，只有六大碗的，但这天却有八碗，而且每样菜都很合口，大家吃得欢天喜地，有说有笑的。

我在翔的腿上用力捻了一下，就算是“开步走”的信号。

谁也没有料到在一刹那间，会发生一件哄动整个谢铎山的新闻。

酒，满杯满杯地筛着。

菜，一碗一碗地出着。

“唉哟！我的肚子痛起来了！”

我一面用手按着肚子，湾下了腰，一面表现着痛得不能忍耐的苦脸给人家看。

“该没有吃错菜吧？怎么忽然肚子痛起来了？”

同席的人都放下筷子，呆呆地望着我。

“不要紧，我因为昨夜受了凉，刚才又多吃了点东西，所以肚子胀得痛，对不起，我等一下再来陪诸位。”

假托去厕所的名义，我退席了，翔也陪我走了出来。我们真的一同跑进了臭气难闻的厕所。

“走吧，是时候了！”

我严肃地对她说。

“青青知道我们的秘密了，不过没有关系，她不会对任何人说及的，她还给了我一块钱，这是从母亲那里偷来的。”

翔低声地说。

“姊姊，叔叔！你们要什么时候才能回来？”

青青忽然也赶来了，眼睛里充满了亮晶晶的泪珠，翔牵着她的手有点恋恋不舍的样子。我也感到一阵阵的心酸，但究竟理智的鞭子在我背后抽着，使我不敢多有一分钟的停留。

“青青，好孩子！不要难过，我们几天之后就有信来的；翔，再不能耽搁了，我们赶快走吧！”

从厕所里出来，一溜就溜到了后面的山坡上，两只恶狗汪汪地叫着赶来。从破烂的屋子里，走出一个中年妇人来，她凝视着我们，惟恐她看出了我们的秘密，我故意现着从容的态度，慢慢地走着，像散步似的；但内心里却像火烧眉毛一般地着急，生怕请客的主人赶来，或者翔的母亲看见青青流泪，知道我们已经逃走，赶快去报告我的母亲，那么一定有人会赶来的了！

“翔，放开脚步走，那女人已经进屋子里去了。”

我们生怕后面有人追来，一面拼命地往前走，一面又不住地回转头来探望，有一两个认识我们的挑煤的苦力在注视我们，我只当没有看到一般从容地走着。

恐怖，充满了我们的心，充满了我们的每个细胞，为了怕遇到熟人，我们改走了一条田塍很狭的小路，两双脚像车轮一般地向前滚着，两个飞跑的影子映在清澈的水田中，像一幕美丽的电影。

汗珠如雨点一般地从额上流下来，两人都走得气喘喘地，像一匹驼了千斤重担子的骆驼一般疲劳，但绝不敢有一秒钟的休息或迟缓。

“鸣叔，要是家里的人赶来，怎么办呢？”

翔，究竟比我胆小，走到半途，居然想停止下来。

“我们赶快走，他们决不能赶上的！”

“不能赶上？他们一定请男人来赶，当然比我们走得更快。”

“他们这时正在欢天喜地的吃酒，梦也想不到我们正在奔逃中。我们只要马上赶到蓝田上了船，就什么问题都没有了。”

一座一座的山，一排一排的田，在我们的两边飞奔过去。

“快活呀！离开了黑暗的牢狱！永别了，充满了封建臭气的故乡！”

我自言自语地说着，不觉就到了福荫亭。这里离蓝田只有五里路，我看看后面没有人追来，就像一个从断头台上脱逃出来的囚犯，快活得什么似的。

“翔，现在真的是我们的世界了！”

我大声地叫着，跳着。

“不要太喜早了，等开了船再快活不迟。”

她忽然蹲下来了，因为口渴得太厉害，所以用手掌在小溪里掏水喝，我也似乎口渴了，也蹲下来一同喝着。

“走得没有气了，我们在这里休息一下吧。”

翔央求着说。

“也好，横竖快到蓝田了。”

我们坐在田塍上，谈着此后的出路问题。

“仅仅只有一块钱，怎么够船钱呢？”

翔总是这样多忧多虑，那个问题没解决了这个问题又来了。

“不能到长沙，就搭几十里的船也好，以后我们就用逃难的方法去沿门托钵，徒步讨饭到长沙，到了那里，就进厂做工，那么，生活问题就可解决了。”

“走，后面有人追了！”我忽然慌张地站了起来。也许这是我的神经过敏，觉得后面有急促的脚步声，回头一看，几只鸭子在田里呷呷呷地喝水。

“走吧！快到中午了，又会在蓝田遇着很多挑煤炭上街的熟人。”

我催促着翔，两人又匆匆地向前走。

虽说我们从小就在这条路上，经过不知多少次了，但除了知道一条大路外，别的小路都不会走。因此只好直接走进蓝田。幸而还好，没有遇到认识我们的人，适时才停住脚舒了一口清气。

上帝！这难道是在做梦吗？

当我们正在匆忙地和一个船老板讲船价钱时，忽然发现了我的母亲就站在我们的后面，两个轿夫正在用衣袖擦着额上的汗，气喘喘地望着我们微笑。

——没有希望了！我的内心这样叫喊起来。

母亲真有超人的政治手腕。当她在许多人正在吃着午饭的伙铺里，见到我们这一对叛逆的女孩时，一点也不露出怒容，反而笑嘻嘻地向船老板及旁观的人解释：

“她们俩真是个未来的女博士，为了急于要出外读书，简直一天都不能等，天没有下雨，船怎么好开呢？船老板，你说是不是？”

“船是可以开的，不过水小一点。”

船老板的真面目也摆出来了，他是不晓得我们中间的内幕的，当然希望做了这笔生意。而且，他绝对没有想到我们只有一块钱的利益给他赚，他还以为我们的行李都在后面没有挑来呢。

“水小，船当然走得慢，”母亲继续着说：“与其在路上耽搁日子，不如在家里好好地等候几天。”

“年轻人是性急的，你老人家是来赶他们回去的吗？”

另一个老年人这样诚恳地问母亲。

“是的，我想留她多吃几只肥鸡才走，船老板，对不起，天老爷下了雨，再来做你的生意吧！”

船老板的脸上浮着一层薄薄的似乎是失望的苦笑。

看热闹的人，都望着我们两个呆子发笑，我们始终没有开过口。自从发现了母亲，我就好像一副坚固的铁镣已经锁在脚上了。不，与其说脚镣已经带上，毋宁说我的头已安置在断头台上还来得恰当。到了这个时候，真的完全中了母亲的话，除非变只蚊子飞出去，否则再也逃不出她的手掌了！

我知道第一次的计划完全失败了，只好垂头丧气地跟着她回来。这一晚，她一直骂到天亮，无论什么凶恶的粗野的侮辱我的话，一切都骂尽了，我完全像个哑子一般，连半句话都未曾回答。

第二天早晨，天还没有亮，三嫂偷偷地跑来告诉我昨天我们去厕所以后的经过：

“我们老老实实地等候你和翔来吃饭，谁知等了半个多钟头还不见你们转来，于是我去问翔的母亲，她说不知道，去厕所寻找，那有你们的影儿？有些人以为你回去了，我饭也没有吃，立刻奔回家里问母亲，她很惊惶地说：‘她并没有回来，呵，逃走了，一定是逃走了，赶快替我叫两个有力的轿夫来，我要追去！’母亲痛骂着我的无用，并且一口咬住我是和你勾通了的，不然，又不是泥菩萨，难道走了人都不知道吗？她一面流着泪，一面骂着就跳上了轿，自然她完全忘记了午间请客的事。”

我本来无心听她的话，但是当她形容母亲那种着急的情态时，我几乎笑出声来，虽然没有走成，使她们知道一点我的厉害也好！

我和翔逃走的事，传遍了整个的谢铎山，整个的蓝田；他们无论早晚白天，谁见着了，总是一开口便议论着我们“逃奔”的事：

“那俩个家伙的胆量可真不小，居然敢在白天，而且是三桌人围着的席上偷着逃走！”

“女人敢这样自由行动，真是无法无天！”

“哼！无论世界变到什么地步，女人终究是女人，要她生就生，要她死就死，什么反对封建思想，打倒封建制度，岂有此理！一个女人居然敢说什么反对，打倒，真正岂有此理！”

“唉！唉！糟了！糟了！世界真正变了！‘黄花女’也敢做出逃奔的丑事来，还成什么话！”

一切外面的舆论，都传进了我的耳里，“为革命，忍受别人所不能忍受的侮辱和痛苦吧！”整天，我都以这句话来安慰自己。

现在的生活，比初回家时，自然要更不自由，更苦痛了！自从逃奔的事发生以来，我便正式变成了犯人，朋友们寄给我的信件或杂志，通通被母亲付之一炬；青青再也不敢来传消息了，甚至连同住在一家的姊姊，嫂嫂，姨母们，母亲也禁止来会我。

晚上从小小的窗子里望去，蔚蓝的天，嵌着白玉似的月亮，远远地送过来几声惊人的犬吠，我怀疑着，也许这就是我的幽灵在游行，不久我将与故乡做最后的诀别了！

我又想到死了！因为这种不自由的生活，实在太痛苦得没有意义。假若我是被关在大的监狱里，和许多受难者在一块儿，我相信那时一定没有那样的气闷，我们可以相互报告各人的经历，各人的思想及兴趣，我们还可谈到未来，未来社会的光明和幸福。但可惜现在就只有一个这么孤零地过着牢狱生活的我，整天闭着嘴唇，闷了一肚子气在心头，没有地方发泄。唉！岂只没有地方发泄闷气，简直我成了一只待主人宰割的小羔羊。他什么时候请客，就在什么时候杀掉我。刀子挂在我的颈上，谁知道我在这世界上还可活上几天几小时呢？死，还是自己毁掉自己的生命吧。

难道你真的像小羔羊一般懦弱，不能抵抗吗？第一次失败了，你不能再做第二次，第三次，乃至无数次的逃奔吗？

最后，理智又得着胜利了！

第二次逃奔

在一个细雨霏霏的黑夜，我又做了第二次的逃奔者。

这天，母亲因为清理我的衣箱，累得太疲倦，很早就睡觉了，听到她呼呼的鼾声，我忽然又起了逃走的念头。但右边的门是锁得紧紧的，左边的，通母亲房里，她每晚都扣上了的；从窗屋口爬出去吗？更没有希望，一根一根的粗大木头钉牢了，加以又有堆积着一丈多高的砖石在阻碍着，想来想去，最妥当的办法，只有轻轻地叫开通母亲房里的门，假借口渴要喝茶的名义跑了出去。幸运得很，起来开门的是父亲，他没有想到在这冷雨凄凄的深夜里，会发生一件他意想不到的阴谋，他摸着开了门后又躺下了。（我们家里，每晚睡后要熄灯的）

我忽然听到三嫂的女儿在啼哭得很厉害，就悄悄地走去叩她的门，质问孩子为什么这样哭得凶，是不是饥饿得太厉害了？她很惊讶我半夜三更，怎么能够跑出来，我告诉她是得到了母亲的允许的，她这才敢开了门让我进去。

“今晚我就在你这里睡了吧，刚才我做了一个恶梦，一个人睡，怪可怕的。”我哀求她。

“不可能，如果母亲知道了，会骂死我的，我受不了，还是点了灯送你回去吧。”

“一切有我自己担当，你放心好了。”

十分钟后，母亲来到三嫂房里寻找我了，她用提灯向我的脸上照了很久，然后大声地叫着：“起来，过那边睡去！”

“妈，她睡觉了，不要喊醒她吧，横竖在这儿睡一晚，没有关系的。”

三嫂听到我的鼾声，以为我真的睡觉了，其实她们那里晓得这又是我的空城计呢？

“好，如果她明早不见了，就只找你要人！”

“笑话，同在一个床上，失掉了一个人，还成什么话！”

我暗地里在被窝里高兴得几乎笑出声来，感谢三嫂，要不是有她担保，一幕惨剧，不是又不能表演了吗？

雨，越下越大了，整个的天空，是黑漆漆的。为孩子而受许多辛苦的她，早已熟睡得像泥人一般了。

静悄悄地，我爬了起来，开了通后面山路的房门，忽然我家的那只黑狗汪汪地大叫了几声，我惟恐惊醒了她或者母亲，故意摸索着往厕所里一躲，狗认识是主人，也就停止了吠声。

从厕所里出来，我又轻轻地摸着走上了一条小路，我决定这次不经过蓝田了，要另外发明一条没有人走过的路：不过一想到什么山上都有挖煤矿的人，我又害怕了。天，半夜三更，又是大雨滂沱的夜里，他们不把我当做鬼打吗？

雨，稍为停止了，空中忽然现出一道灰白色的光辉来，也许真的是上帝赐给我的一线光明吧？

沿路的犬吠声不绝，我的心是这般突突地狂跳着；我不敢回头，时时刻刻都感觉到有一双可怕的恶魔的巨掌，好像就搁在我的后颈上似的。

不顾性命地只管向前奔着，山路是这样崎岖，加之雨后泥泞不堪，更难行走，我已经跌倒四次了，满身都是黄泥，脸也弄脏了，连眼珠子里都有泥。我没有想到假使明早有人见到我，会不会将我当做鬼打，我只是飞也似地爬了高山，又跑过平地，像有无数万敌人，在后面追我一般迅速地狂奔着。

突然，我从山上滚到一条小溪里来了，脸部和手，都被荆棘刺得鲜血淋漓，腿上的皮更不知摔破了多少，全身已经湿透，现在我真的变成一个泥血模糊的野鬼了。

——上帝呵，救救我吧，生死存亡，就在今夜决定，如果再逃不脱，我这一生就这样完了！

我并不信仰上帝，然而那时我却对着茫茫的，黑暗的天空，默默地坐在地上祈祷着苍天。

远远地望去，似乎有点红光在闪动，起初，我以为是流星，但抬头望望漆黑的天空，决没有星星出现的道理，然而奇怪，红光越闪越近，越来越大了！这究竟是怎么回事呢。也许是磷火吧？小时候常在夜里望到对面山上有红光射出，越积越多，母亲告诉我说，这是鬼火（即磷火），凡是出现了鬼火的地方，不久一定有火灾的。不错，这一定是鬼火，不然，为什么火光越来越大呢？

不知怎的，我有点害怕起来了！似乎从遥远的火光里，发现了一个巨大的黑影，这黑影，张开着两手向我走来。天，这难道又是来追赶我回去的恶魔吗？

不，绝对不是的，这是一座人迹罕到的森林，鬼都不会知道我躲在这里，何况又是雨夜，她们又睡得那样沉熟，那里还会想到我已逃走了呢？恐怕连梦都没有梦见吧？

那么，那断断续续，愈来愈近的火光，究竟是什么呢？但我又想，不管它是鬼火也好，人火也好，趁着它还没有照到面前的时候就溜开吧，免得真的遇着鬼害怕，如果是人，他也会把我当做鬼打的。

我迅速地站了起来，可是一双腿子像锁上了百斤重的脚镣似的拖也拖不动，周身像发疟疾似的不住地颤抖，我索性又坐了下去，闭着眼睛，细细地分析那红光究竟是什么东西。

呵，明白了，那一定是二哥的灵魂，在拿着火把欢迎我去，他是不能离开我的，他曾经说过他和我的关系，好像人的肉体和灵魂，虽然人是死了，灵魂还是有知的，他也许在阴间生活得太寂寞，太凄凉了，所以来接我一同去生活。我近来的痛苦，他也许在冥冥之中完全知道了，最爱我的二哥，你难道真的来救我了吗？

当我睁开眼睛向前仰视时，忽然发现两个高大的鬼影，站在离我不远的溪涧上，有一个高高地将火把举起，大声叫喊着：

“喂，你看，在那里，在那里！”

这时，我周身的血液都沸腾起来，不问那两个黑东西是鬼或是人，立刻放开脚步就跑，谁知还跑不上二十步，我便被黑影的巨掌抓住了！

“鬼，鬼，鬼！”

我大声地叫喊着，每根骨骼都吓软了。

“鸣小姐，我们是人不是鬼，你不用害怕，和我们回去吧，你妈妈很耽心你深夜受了惊呢。”

天！这明明是来抓我回去的恶魔，我咀咒他们，痛骂他们是可恶的东西，为什么好好的人不做，要做专制魔王的走狗。

任我如何咒骂，他们总是置之不理，起初是很客气地带着恳求的语气要求我回去，后来见我的态度太顽强，又乱骂了一阵，于是他们就动起武来，两个人一同把我拖了走。

快走近“监门”了，我才发现前面还有一条黑狗，迅速地向它的主人那里奔去，原来能找到我的所在的，不是他们两个，而是一条小黑狗的功劳。

家里所有的人，除了小孩，通通都起来了，堂屋里的神灯也点着了，亮晶晶地像过年似的热闹。

“你们在什么地方拖了鬼来了，赶快把她摔出去，不要吓坏人！”

母亲凶恶的脸孔，比阎王还可怕，可怜的三嫂，眼皮红肿地呆望着我发抖，我用感激与悲哀的眼光回答了她。虽然我现在又回到了牢狱，然而能够实现我的计划做第二次逃奔的，我却不能不感激她。

第三次逃奔

距结婚的日子，只差二十天了，萧家去了好几个电报催促萧明即刻回家，但他因为接到了我那封初抵蓝田时发给他的哀的美敦书，所以不敢回来碰我的钉子。两家的父母都很着急，尤其母亲简直像热锅上的蚂蚁一般，白天行坐不安，饭也吃不下，连最爱的酒也不喝了，晚上更是通宵失眠，不是咒骂我，便是找父亲埋怨，说他不该送我读书去，否则她早已做了外婆，何至于到现在还没有嫁出去。她最担心萧明不要我了，那时她的女儿嫁不出去，她就非自杀不可！

嫁妆，和一切的日用品，吃的，用的，甚至连小到出厕所用的草纸，都准备好了，在父亲面前，我已好几次很坦白地告诉过他：

“即使硬把我抬到萧家去，也只有两个前途给你看到：不是自杀，便是逃走，永远不归来。爸，你绝对相信我的话好了，东西通通不要抬去，免得白白地送给人家。”

听说，这些话父亲也曾对母亲讲过，而且根据我几次逃奔的事实证明，他也相信我的确不会和萧明结合的，但母亲坚持着她的见解：

“自杀？她是故意说来恐吓你的。逃走？她嫁过去，一个人守着这许多东西，就会舍不得离开了，而况女人只要到了男人手里，无论她怎样强悍，也会像小羔羊一般温柔的。假若萧明是聪明的，待她特别好一点，我怕她永远也不想往外面跑了。”

唉，母亲是这样被聪明误了！她根本不了解她女儿的思想，和性格。她以为丰富的物质，可以引诱我，改变我的思想，所以在距离结婚期只有十日的那一天，把一切的嫁妆预先送到萧家去了。我却叹息她的失策，因为她这样做，便把自己辛苦积聚了十余年的财帛，无条件地送给人家享受去了。

第三次，我又逃奔了！

诚如姐姐所说，任我怎样飞，也飞不出她的笼子。

这回来赶我回去的，不是凶恶的母亲，也不是强壮的农夫，而是穿着绅士长衫，摇摇摆摆走着的大哥和姐夫。当他们在一间铺门口拦住我时，我立刻从怀里取出早就预备好了的剃刀架在自己的颈项上，向他们严重地宣誓：

“这次如果你们再把我拖回去，我就立刻死在你们的面前！”

大哥连忙从我手里把刀子夺过去，也像我刚才一般架在他自己的颈项上说：

“如果你这次回去还受虐待，不许你出来，你可以用这刀子杀了我!”

“而且也杀了我吧,”姐夫又从大哥的手里夺过刀子来,“两条性命,总可抵得过你一条吧。”

他们的话,虽然说得十分坚决,但我仍然怀疑,我再也不愿入他们的圈套了,我有我自己的主张,宁可死在路上,不愿再回到监狱里去。

他们知道和我讲道理是讲不通的,惟一的对付方法就是要那两个预先雇好了的壮丁,用武力压我回去!

围着看热闹的人,越来越多了,路上简直挤得水泄不通。因为我这次是化装一个中年农妇逃走的,所以来看热闹的男男女女,没有不哈哈大笑的;年老的妇人,有些看到我含泪的愁容,也有陪着我流泪的,但这并不是说她们了解我的苦痛,同情我的境遇,她们是在一刹那间见到了我的苦痛悲壮的表情,才发生的感情反应而已。

经过两小时的纠缠,终于又被他们拉回去了。

奇怪,这次回去,母亲半句话也没有说,父亲只用气得发抖的眼光望了我一下便低下头来。房子里,堂屋里,处处都可听到像老鼠剥谷似的窃窃的私语,可是她们见了我这种化装农妇的模样,谁也不敢笑出声来,只有芸宝在问她的母亲:“妈,姨母为什么穿这样的丑衣服?”姐姐连忙摇了摇手,孩子也就不再做声了。

这次我再也不能沉默下去了!只等谁先开口骂我,

我就要和他大闹一场，自己的生命决定在这次最后的挣扎中牺牲，我宁可给社会骂我是叛徒，是逆女，而绝不愿屈服在旧礼教之下。我的胆量很大，丝毫也不顾虑什么，我静静地候着那一幕流血惨剧的到来，谁知什么都没有，大家静默得像哑子一般，我吃了一碗饭后，便躺下休息去了。

结婚的日子快到了，萧明还没有归来。他家里虽去了不少的电报，但得到的答覆老是“电悉，缓归。”

萧家已决定先将新娘子接过去，等新郎回来后再举行婚礼，起初我满以为母亲会答应这个要求的，谁知她害怕我一到萧家便溜走了，对于她的名誉有损失，所以一定要候萧明回来才许迎亲。

三天以后。

“新郎回来了，恭喜恭喜！”

媒婆坐着轿子来催亲了！全家都忙得像战场上打仗的兵士一般，姊姊和三嫂常常偷偷地跑来我房里流泪，叹息，她们的内心充满了恐怖和忧愁，谁都害怕那一幕意想得到的悲剧，会发生在洞房花烛之夕的。

“唉！如果有什么变故，可惜丢掉了一肚子好书。”三嫂叹息着说。

姊姊也呜咽地哭起来了，虽然她们适时是在母亲的房子里，但她的泪水好像都流进了我的心窝似的感到难受。

大嫂，姨母，六祖母都来婉劝我，恭贺我，说着什么“菩萨保佑你”的话，有时我听得讨厌起来，就恨恨地回答她们一声：

“菩萨保佑你们吧，我自己也快要做菩萨了。”

孩子们在挂着彩灯的堂屋里跳着，笑着，小嘴里塞满了萧家送来的糖果，快活而且骄傲地。

谢铎山的每个人都在等着看一幕又喜又悲的趣剧。一个怪物——叛逆的女性，做了他们茶余酒后的话题。整个的乡村，都被这怪物轰动了！他们批评着，讨论着，猜想着她未来的命运和前途。

翔也被母亲请来吃喜酒，她见我累次逃奔都失败，所以对我居然说出这样没有志气的话来：

“鸣叔，这一个月以来你也太苦了，照一照镜子吧，看你现在成了个什么样子！我劝你这次过去，还是算了吧！”

“你不想逃走了吗？好一个没有勇气的弱者！”

我望望房子里只有我们俩个，所以大声地质问她。

“我不想奋斗了，就这样活活地让封建家庭毁灭了我吧。”

“为什么你这样懦弱？”

“一个人的力量有限，我不能奋斗了！”

“好，那么你就伏伏贴贴地屈服了吧，能够服从父母之命，媒灼之言的，不但是个烈女而且也是个贞妇呢。”

我以这样的话来刺激她，满以为她也许会起一种反感，岂知她只是冷笑了一声，同时带着讥讽的语气问我：

“你奋斗了这么久，有什么结果没有？”

“哼！结果？你看吧！”

两个从小在一块长大的好朋友，至此便完全失去了感情，彼此都看不起对方，认对方的思想与行动都是错误的。

沉默支配着我们，各人的目光集中在熊熊的火炉上。

这是我们最后的见面，当我做了第四次的逃奔者，而且永别了故乡，一直到现在，这位被封建社会摧残了的，做了三个孩子的母亲的少妇，我都时时在怀念着她，可怜着她。

最后一次的逃奔终于得着了胜利，那时我一点也不慌张，像一个诗人在翠柳依依的堤岸上散步似的慢慢地走着，嘴里轻轻地哼着没有韵的调子：

永别了，我的故乡！
美丽的故乡呵，
有翠绿的青山，
有潺潺的流水，
杏桃如画，

垂柳如丝。

美丽的故乡呵，

曾陶醉了我儿时的心灵，

葬送了我宝贵的青春。

到现在，只剩得心坎上的血痕深深！

封建社会的猛虎，

想要吞没这颗黑暗中的明星。

奋斗呀！

只有奋斗才能得到最后的成功！

永别了我的故乡！

第六章　飘流

入　狱

好像是上帝故意在捉弄我，要我尝尽人间的苦味似的，刚刚从家庭监狱中逃了出来，如今却又踏进了真的监狱之门了。

为了被关在笼子里的翔，需要吸收一点新鲜的空气，要我寄几本可看的书给她，以消遣那些漫长的苦痛日子，我拿着一包已封好的书，直向邮局走去，突然前面来了一个很面熟的青年。

“呜，那里去?”

“想不到是你，几时来的?”

原来他是艾斯，一个武汉时代的伙伴。我们就站在人车拥挤的八角亭谈起话来，他告诉我和他同来的还有莫林，现住在××街新安栈，他希望我去谈谈，就这样我夹着书跟他走进了新安栈的楼上。

这简直是在做梦似的。

当我和莫林，艾斯三个人被铁练锁着送到警备司令部去的时候，路上挤满了看热闹的人，孩子们竟唱着“的打打，的打打，的的的——杀杀”的声音；一个老太婆叹息地说：“又是一个年纪轻轻的女孩。”

“快点走，腿子断了吗？”

一个警兵恶狠狠地用枪柄打在我的肩上。

“混蛋！为什么动不动打人？”

我站住骂他，大家都眼睁睁地钉着我。

“哼！你怕打吗？明天还要你的头落地呢！”

我忍着气没有回答，只好加速地走着，像一个逃亡者的脚步似的。

我们被锁在监牢里了。这是小小的两间，他们两人同在一房，我被送到一间又臭又黑比他们小一倍的房子里，“洞”的一声，笨重的铁锁落了下来。

“喂！这是什么？”

当我突然发现我的脚踏着一个圆东西，两道光线射在我的眼帘时，我不觉大声地叫了起来。

“和你一样的人。”

说着，她站起来了。

“对不起，我从外面进来，因为房子太暗，看不清楚，请原谅我吧！”

我诚恳地向她道歉。

“没有什么关系，刚才我也是因为睡觉了呢。你是什么案子?”

听她的声音，不像长沙人，大概是浏阳一带的。

“我没有犯法：他们胡胡涂涂地把我抓来了。”

“从那里抓来的?”

“在一个客栈里，我去看两位朋友，恰遇着他们去巡查，不问事由就用练子锁起来了。”

“他们呢?”

“也来了，就关在对面呢。”

她顺着我的手指示的地方去望，望到了莫林和艾斯，莫林附在艾斯的耳边轻轻地说着什么，但立刻被看守禁止了。

“那一位是你的丈夫?”

我觉得她这句话问得太唐突了，想责备她两句，但一想到大家都在监狱里“同病相怜”，何必生气，我应该原谅她的。

“他们都是我的朋友，我还是个‘闺女’呢。”

我仍然温和地回答她，这使得她有点不好意思起来。

这正是二月的梅雨天气，地上潮湿得很，我们坐在铺有一层薄薄的腐烂的稻草上面，没有被盖，也没有东西吃，坐下去，就有无数像蚊子似的东西直往肉上钻来，我开始感到一种忍不住的难受，只好站了起来。

“稻草是很久了的，上面一定有很多虱子，臭虫，我的全身都被咬肿了。”

她说着，卷起衣袖给我看，可是黑漆漆地什么东西都看不到。

“没有东西吃的吗？”

我的肚子好像有点饥饿了，这样问她，是希望她回答一个“有”字的。

“嘻！连水都没有喝的，你赶快叫你家里送饭来吧。”

“呵！原来这样，我的家里还不知道我到了这里呢。”

看守来骂我了。“不许说话！”

晚上十点钟的时候，好几个持了手枪的警兵走进来，看守开了锁，领我到法官那里去审问。

我故意走得很快，骇得他们连忙赶上前来用手枪对着我，好像我立刻就要逃走似的。

法官是一个年约四十多岁的人，有一口日本人的八字胡子，看样子很忠厚，可是理智告诉我，忠厚的人就不会当法官。

他问了我的姓名，年龄，职业，籍贯后，劈头就是一句：“你是什么时候加入××党的？你们的机关在那里？你担任什么工作？”

“什么？你的话我完全不懂，我是一个师范生呢。”

他听了我的回答，狡滑地哼了两声：

“你没有加入吗？为什么有这些×化书？”

“书是从书局买来的，难道卖书的也是××党吗？”

“赶快认出来，立刻就可释放你，否则明天就会枪毙的。”

法官用恐吓的语气，逼着我招认！

“横竖这时候我的生命掌握在你的手里，你要枪毙就枪毙，有什么办法呢？”

我从从容容地这样回答了他，谁知反引起了他的恶感。

“你不犯法，谁敢乱杀你。”

“我并没有犯法！”

“证据真确，还敢抵赖吗？打！”

粗大的木棍落在我的腿上，我扑倒在地上了。虽然很痛，但我还没有到失掉知觉的地步。

“你究竟招不招，否则就灌辣椒水。”

我知道这是一种极残酷刑罚，用红辣椒末放在开水里，从鼻孔里灌进去，使受刑者痛得七孔流血，非到你招认出来不停止。很多不是政治犯的青年，被他们抓出拷问，为了怕痛就故意首先承认是××党，结果冤枉地牺牲了许多生命。

立刻，我的脑海里印上了种种的残酷印象，眼前一昏，我有点胆寒起来。

“赶快说，用不着考虑，难道你真要受刑吗？”

“何必这样恐吓我呢？我什么都不知道，你要我从那里招起？”

也不知那位书记在簿子上写了些什么，法官说了一声：“带回去，等下再给她苦吃！”我又被押回监狱了。

当我经过他们的牢房时，莫林连忙将头靠近铁门问我：“你说了些什么？”我正想回答时，枪柄已落在我肩上，原来看守兵就站在我的后面呢。

他们是两次被分开了传去的；不知道有句什么话，两人的口供不一样，于是事情就变得严重了。看守和一个查夜的在谈论着关于他们的事：

“法官说，他们中间有一个是重要份子，明早就要枪毙。”

那位妇人已呼呼地睡着了，我站起来把脸贴在铁门上望着他们，他们也凄然地望着我，一切都由三对视线传达，嘴是不能发声的。

我开始注意艾斯的眼里有发亮的泪光，我似乎觉得他太不应该了，在学校里大家叫着“革命者，不流泪，只流血”的口号，为什么一旦遭遇了不幸，动不动就流泪呢？

第二次又传我去审问了，我的口供还是和前回一样，半点都没有改变。

法官气得脸上的青筋都膨胀起来了，可是不知为什么，他这回不但不打我，而且叫我到他的私人办公室里去，卫兵也没有，仅仅只有我和他两个人。

我知道这是他的软计了，他想用甜言蜜语，哄小孩似的引诱着我说，可是我仍然和前次一般硬挺挺地回答他。

“坐下慢慢谈吧！你抽烟的吗？”

“不！谢谢！”

“现在有许多有为的青年，因为走错了路，白白地牺牲生命，我看你很聪明，不是普通的女子，虽因意志薄弱，误入歧途，但只要你从此觉悟，改过自新，前途的希望无穷，我对你说的，都是好话，现在你就老实说吧！”

他的眼睛，放出两道可怕的光，我不敢望他，忙低下头来用轻微的声音回答他：

“法官，很对不起，我实在什么都不懂，我没有走错路，因此也没有什么过可改。”

“你愿意杀头吗？”

他生气了，重重地把烟头往地下一丢，一个大拳头“蓬”的一声落在桌上，我吃了一惊。

“你万一要杀，也没有办法，这是不能由我愿不愿意的。”

我改变了态度，大声地说着。

终于为了我的顽固的供辞，使他没有办法。只好又吩咐警兵给我带上了一付脚镣。从此，我又尝到另一种生活的滋味了！

第二天的清早，那位女难友醒来了，她将嘴巴对着我的耳边轻轻地问道：

“昨夜你审问过几次？有危险没有？”

我把审问的经过简单地告诉了她，她摇了摇头，以忧郁的眼光望着我，随即又深深地叹了一口气。

“我关到这里来，还只有七天，已经看到有五个像你这样年轻，有一个还只有十五岁的女孩子，先一天进来，第二天就牵去……唉！你该不……不至于吧？”

我感激她的关心，但不知要怎样回答她才好。

接着她又详详细细地告诉我，她的案子是为了和丈夫打架，没有生命危险的，她说：“我出去了就替你送点饭来吃，不要难过，我明天就可以出去的。”

“我恐怕吃不到你的饭了吧？”

我是随便说说，不料竟引起她的伤心而落泪了。这时，我紧紧地握着她的两手，头倒在她的怀里，眼泪如瀑布一般倾泻下来，把她当做我的爱人，一个最亲爱的朋友般看待了。

谁也梦想不到，已经在阎王那里报了名的人，现在却从死亡线上得了救！

这是第四次的审问了，据说因了我们的供辞太倔强，又在艾斯的箱子里抄出来一些有反动嫌疑的信件，三个人又是南腔北调，各人说着一口家乡话，因此他们一口说我们是反动份子，应该处以极刑的。

法官详细地问起我的家庭状况，当我说出父亲的名字时，他大大地吃了一惊，原来他曾在父亲那里读过四年书，我们的生命，就在这一线意外的曙光中得救了。

他允许我写封信给住在北门外的大哥，而且答应饬一个勤务兵送去。第二天晚上三点多钟的时候，大哥和他的岳丈龚先生仓皇地跑来狱中探望我，大哥自然板起了面孔，大大地骂了我一顿，龚老先生却慈祥地安慰我说：

“不要着急，无论如何，我们要救你出来的。”

“不止我一人，还有两个朋友呢。”

莫林和艾斯向他们微笑着点头，大哥带着讥讽的口吻说：

“既来到这里，就安心一点吧，铁窗生活的滋味，是不容易尝到的。”

他们进去会法官去了，我大胆地说了几句劝艾斯、莫林不要难过的话：

“我们有得救的希望了！”

我从绝望中迸出一声苦笑来。

“法官是你父亲的学生，你自然有希望，只是我们，恐怕……”

艾斯凄然地说，泪珠充满了他的两眼。

“死就死，有什么关系呢？”

莫林有点不高兴他的伤感，我也连忙安慰他：

“我如果能够释放，当然你们也是一样的；否则，就大家一同牺牲好了。”

两个钟头以后，大哥又来了，他告诉我，现在只要找到殷实的铺保就可以释放了。

“还有他们两个呢？”我迫切地问。

“那就不知道了，我又不认识他们，自然不敢冒昧替他们说话，而况事实上也是不可能的。”

这几句话他故意说得很大，好像有意使他们听到似的。

“不！如果释放我一个人，我一定陪他们坐牢。”

我坚决地说。

“他们要是有生命的……”

“那当然一同牺牲。”

“为什么？”

“他们是因了我那几本书而被捕的，实际上是我连累他们，为什么我能够释放，而他们不能呢？”

我知道这理由是正大光明的，而且大哥为了我，他不能不管他们；法官呢，他既是我父亲的学生，当然也不好把我怎样，还好，恰在这时，艾斯的朋友仁君也得到了消息来保释他们了。

第四天，三个人都得到了自由。在狱中三天，每人仅仅吃了一碗面，花去两块钱，这面的滋味，比海参鱼翅还鲜美，吃时的味觉，似乎到如今还留在嘴边。

自从狱中出来以后，便没有机会再看到他们了。曼霞告诉我，他们走的时候非常狼狈凄凉，而且耽心我又要被家里赶了回去，所以当仁君送他们走的晚上，谁都在为我叹息，我感激他们深刻的友情，同时回顾自己的命运是这般不幸，忍不住的热泪又滚了下来。

小学教员

“好了，现在机会来了，张先生是省立第五中学的校长，他要找个附小的国文教师，我已将你介绍给他，他因为是父亲的学生，所以很愿意帮助你，明天你就收拾行李和他一同去衡阳好了。”

大哥报告我一个快乐的消息，关在笼子里的小鸟，明天就可自由地翱翔在天空中了，上帝，这该不是梦吧？

这是一九二八年的春天。

本来我的志愿是这样的，不是做工，便是进学校求点有用的知识与技能。虽然升学在我简直是个梦想，明明知道决不能实现，但我却死心塌地去追求，一直到连梦都没有了，我的求学的心还是那般热烈，始终不变。

自然，一来是为了要独立生活，不愿倚赖家庭或朋友，二来也为了一时逼着没有路可走，才去当教书匠，过那可怜的粉笔生涯。

真想不到开始过着“自食其力”的独立生活，就受到一个打击，不过我并不难过，因为我已得到了用金钱买不到的教训和经验。

起初校长介绍我和那位小学部的主事认识时，我便看出了他对我的印象不好，因为他想不到张先生会请一个这样年纪轻轻的女先生来，本来社会一般人的心理，都以为年轻人是只会捣乱的，自然他也不能例外。

当教师了，我是多么感到害怕哟！我的寝室就在教室的隔壁，这是六年二期和五年二期的合级教室，正是我教的那班。

“天呵！明天我就要当教师了，怎么好呢？”

那天晚上我的确站在栏杆边，这样望着青天叹息了起来。

一夜没有睡好，我只是害怕着明天到来。虽然孩子们是我所最爱的，但这时我已完全忘记他们了，我只是悲哀着，不懂为什么我不能像别人一般去升学，而来这里吃粉笔灰？“有什么能力和资格做孩子们的老师呢？”我又自己怨恨自己起来了。

可怕的日子终于来到了，在船上，校长先生就告诉了我这次我担任的是级任，每天举行朝会时一定要到场训话，监督学生。遇到我值日的那天，更要负责早晚点名，查寝室，教室，写教务日志，而且那天整天不能离开办公室。学生之间，如发生纠纷，他们需要什么，都要我来解决的。

我很留心地听着他的话，但心里却在想，这事情太麻烦了，我不能过这种生活，但有什么法子能逃避呢？

朝会。

我像木偶一般站在操场上，“稍息”的叫子已经吹了，孩子们一个个都在倾听那位值日教员的报告，但是奇怪，突然他们的小眼睛都紧紧地钉住了我！这使我顿时感到难为情起来，脸部像火烧着一般，于是我掉转头去望着东边的篮球架。

——不对，校长不是要我行朝会时监督学生的吗？于是我又移过头来。

呀！更可怕了，三百多双眼睛通在注视着我，而且连我的头发有多少根，他们好像都数清了。我莫明其妙地这样害怕，恨不得立刻离开这里。

又是一声叫子吹，整齐的步伐开始走动了，这才稍为恢复了我的意识，盲目地我跟着五六年级的学生，走进了教室。

踏上讲台，我的脸就红了，这我是感觉到的，因为我烧得厉害。

“同学们，我是初从师范出来的大孩子，其实我并没有毕业，因为去当兵，还差一年，就牺牲那张讨吃饭的文凭了。以我的年龄来说，实在不配做你们的先生，不过我可以做你们的一个很忠实的朋友，有什么不知道的事情，我们大家共同研究，共同讨论，因此我希望你们都以同学待我，不要当我做先生。”

我这样诚恳地说了之后，孩子们都望着我微笑。从这时起，我便做了孩子的老师，做了生活的奴隶了！我开始了社会生活，穷困的锁练就紧紧地缠住了我！

还好，虽然教书剥夺了我读书的时间，可是精神上得到了另一种安慰。孩子们的一举一动，都是可爱的，天真的，他们的心是多么纯洁而坦白呵！

我不会应付环境，更没有学会敷衍，虚伪和滑头。我对什么人都是忠实，坦白。唉！一个天真纯洁，初入社会的少女，那里懂得什么世故人情呢！

于是，不幸的事就发生了，那是我到学校的第三个月。

原来全校的教员，只有我是女的，而又特别年轻，教的又是高年级，自然有点令他们不服，特别是那位主事先生。

因为我像个小孩，而又整天和孩子们玩在一起，所以学生特别尊敬我，听我的话，对于我教的几门功课，也格外用功。

他们最喜欢和我谈话，说起一九二七的热闹来就眉飞色舞，红色的五月里，小小的童子军还到过衡山讲演，他们还告诉我带他们去的是些什么人，以及老百姓们如何热烈欢迎他们，殷勤地招待他们，呵，多么有意义的从孩子们口中叙述出来的革命故事呵！

从这里，我知道了王先生的思想是比较进步的，他认识时代，理解革命，于是慢慢地和他攀谈起来。他也是级任，旧文学很有根基，新的书也很高兴看。的确，在这学校里，除了他，没有可与我谈话的人。但是可怜我每星期担任二十八小时的功课，还要每天改日记，习字，笔记本，作文，再加上自己看书，预备功课，那有闲谈的功夫？

为了我是爱孩子们的，自然我时时关心他们的生活，顾到他们的一切。比方图书馆，体育场，游艺室，是必需要扩充的，我们要尽可能地多买些书籍，用具……以供他们使用；而那时学校的图书馆是多么可怜，除了几本少年杂志，小朋友，七侠五义之类而外，什么都没有！体育场只有两个破烂的球给孩子们踢着滚来滚去，游艺室更不要说，连乒乓球的拍子，都是学生自己买的。为了他们的利益，我也曾和主事先生说过，谁知道就触怒了他，而有要我“升学”的事发生。

这是多么严重的一件事呵！校长先生找我去谈话了。

“主事对你有点不满意，也许因为你做事太负责的原故吧？本来年轻人是到处吃亏的，何况你又是这样心快口快，做事认真，性格爽直的人！”

他很忧郁地对我说，声音怪不自然。

“什么？不满意我，是因了我做事太认真，太负责，性格太爽直吗？那么，我应该怎样呢？”

的确我有点莫明其妙了，我只知道我在学校里得来的教训正是：做事要认真负责，为大众谋利益，牺牲个人……

“这个倒很难答你，不过最好你还是妈妈糊糊过了这学期再说吧。”

“他要我走吗？”

“嗯，有这个意思。”

“什么理由？”

“他说你和某先生时常来往，太开通了，在这风气闭塞的地方是不允许的。自然，这不过是他的借口而已，主要的，恐怕还是……”

“还是什么？”我忙插进了这句。

“他怕你比他能干，做事负责，受学生欢迎……”

“是的，现在凡是受学生欢迎的教员，都是不好的！”我气愤愤地说着：“不过太不成理由了，既然是男女同学的学校，而又请了女教员来，为什么我不能和男先生来往呢？何况我仅仅和王先生谈过关于文艺方面的两三次话。”

“忍耐一下吧，不理他好了。最好你能办得到这一点，和学生很接近，但不理睬任何一个男教员，看他怎样？”

“哈哈！这当然办得到！”于是我大声地笑了。

从第二天起，真的实行了我的“闭关主义”，我不但不和任何男教员谈话，而且连教务室我都不去了。开什么教务会议，级任联席会议也不出席，原因是为了他们都是男人，男人是不能见面的，见面就会出鬼；谈话，就是有伤风化。我这种突如其来的举动，使得他们都奇怪起来，甚至来我房里借书看的，我都不理他了。慢慢地，大家都知道我为什么这样“杜门谢客”，这时王先生大为我打抱不平，还有别的几位先生也很同情我，但是我始终没有对任何人说过一句话，只是咬紧牙根教我的课，改我的卷子。

一天晚上，那位主事来到我的房间里，本来我想下逐客令的，但他已经坐在凳上了。

“黄先生，有何贵干？”

我这样堆满着勉强的笑容问他。

“没有什么，随便谈谈。”

“对不起，我这里是不招待男宾的。”

“哈哈！那么，我就走吧。”

亏他还能够张开嘴笑，但是上帝晓得我那时是怎样的心情。

“先生学问高深，教授法又很好，学生得益良多，只是自己牺牲太大了!”

他一开口，我就知道他说话的用意，但我故意像傻子似的，假装不懂。

“牺牲？一点也没有！何况我得到了工作的代价，即使没有，为社会尽义务，也是应该的!”

“好说，好说，像先生这样少年英俊的人，正好深造，前途其未可限量!”

他在绕着湾子说话。但我都直截了当地告诉他：

“是的，本来我要去升学，只因为蒙张先生‘垂青’，一定找我来贵校教课，情在世交，不能拒绝，只好受命，不过暑假一到，我就要走了的，谢谢先生关心!”

话是有点酸溜溜的味道，但我的心却轻松了许多。

他走后，我又去校长那里闲谈了很久，原来主事的一位亲戚正待解决饭碗问题，因此他希望我快些走；而我也实在忍受不下去了。为了窒人的空气太使我不能呼吸，为了我不会和有手段的抢饭碗的人斗争，为了我可怜那位比我更可怜的人，我决心走了！就在离我教的那班学生毕业前的十天，我静悄悄地走了，可是，奇怪，他们都知道，一个个跑来送行，而且哭了。

“后会有期，祝你们努力!”

我也眼睛红了，说不出更多的话，最后深深地望了他们一眼，便踏上了旅途。

还有一个月的薪水没有拿到，我身边只带着二十元纸洋，就这样匆匆地离开了衡阳。

恐怖之夜

一双脚刚刚踏进社会之门，就受到一个这么大的打击，我明白了社会的黑暗，人心的可怕！呵，虚伪，笑里藏刀的虚伪，是多么可怕呵！由于这次的事，使我深深地了解现社会是什么东西？在现社会里活动着的人们是怎样的心理和手段。我尤其明白了在旧势力笼罩着的中国社会，女子——尤其是独身的少女——是不能立足的！然而我并不灰心，我觉得这是给我的一个好教训，我应该更多受些苦，受些刺激，我不能逃避现实去过隐居的生活，我更不能消极，或者投降在旧势力之下！去吧，地球是这么大，只要我能奋斗，什么地方没有我的出路呢？

走！我决不让任何人知道我底行踪，我要一个人静悄悄地开始过飘流的生活去了。我恰像秋天的落叶，风吹到那里，那里就是我的归宿。

但是爱珍怎么办呢？她不是每天来信要求我救她吗？她不是立刻要被封建社会杀害了吗？为什么我不救她呢？我应该同情他，帮助她，我要写封信约她和我一同到上海做工去！仁君是同情我们，了解我们的忠实朋友，我也应该告诉他我是坐的什么船，以便做一次最后的话别。真的，此次离开长沙，不知要何时才能回到故乡，也许永远没有回来的希望了吧？

大哥？我是决定不去找他了！他是封建思想的继承者，如果我去见他，不是自投罗网吗？牢狱式的生活，我已过得再不能忍受了，我还甘愿把死里脱逃出来的生命，送到坟墓中去吗？不！决不让他或他的朋友知道，除了仁君和爱珍外，连树蓉、珊珊她们都不通知，可是曼霞呢？可怜的孩子，得到了我走的消息，将不知怎样地悲伤呵？

黄昏，我们三个人就来到船上了。

爱珍活像一个逃狱的囚犯，生怕家里的人赶来，仁君也明知道同我们的逃亡，带有几分危险性，但为了安慰我们，老是说些有趣的故事给我们听，使我们暂时忘记了恐怖。

“静一点，听，是不是检查的来了？”

我听到了外面有喧闹的声音，立刻要求仁君和爱珍停止谈话，我的两个大眼睛，紧紧地贴在船舱的缝隙里张望。房间里立刻静寂下来，爱珍连忙从上面的铺位跳了下来，挤向我的身边来窥视，仁君也有点慌张似的紧绉着眉头。

“不要怕，我们商量好了再说。”

他究竟是个老于世故的人，虽然心里知道如果检查的来，多少有点麻烦，但他的态度仍然很镇静。

“商量什么？”爱珍低声地问。

“商量一个对付检查者的办法。”

仁君燃上了一支香烟，我们坐下来开始谈论了，他的声音是那么低细，不特别留心，便听不清他说些什么。在短短的十多分钟内，我们把应准备说的话都想好了。

不知怎的，我忽然想起了四个月以前在这儿发生的那件事来，我害怕仁君和爱珍受我的连累，我思索了很久，然后毅然地对他们说：

“仁君先生，你还是早点回去吧，爱珍也不要同我走了，因为恐怕那些检查的来，万一……那是很不值得的。”

我咬着牙根严重地说着，爱珍突然哭了起来。

“不要我同你去吗？我立刻跳在湘江里自杀！鸣姐，你好忍心，我不是早已告诉你了吗？除了你救我跳出火坑之外，摆在我眼前的，只有一条死路，你难道肯忍心看着万恶的旧家庭毁掉我这条弱小的生命吗？姐姐，无论生……生也好，死……也好，总之我是要跟着你一路去的。”

爱珍的泪流进了我的心窝，我难过得说不出什么，低下头来默默地想着：究竟怎么办呢？

“不要哭，茶房听到了会来打门的。”

仁君用恐吓的语气命令爱珍。

“当然，”我想再继续说几句解释的话，“我是为了救你，才通知你和我逃走，你看，除了仁君先生知道外，谁都不晓得我这回的行踪；这虽然一半是为了自己要去上海找生路，但同时也是为了你，才这样走得匆忙而且慌张的。我现在真有说不出的千千万万的痛苦压在心头，假若我发生意外，你们怎么办呢？万一我能勉强度过这一难关，而你的家里寻到船上来，我当然是重要犯，仁君先生也有从犯的嫌疑，那时，事情就弄糟了！即使退一步说，前面两个都不成问题，我的哥哥如果从什么地方得到了我逃走的消息，他也会跑来船上拉我回家，那岂不一样的糟糕吗？”

爱珍还在呜咽地哭着，仁君也有点觉得难过起来，但他始终装做很镇静的样子，像老大哥安慰小妹妹似的说着：

“脑子里不要想得太复杂了，平静一点，实际上绝对没有你想的那么严重，也许今夜就这样平安地过去了，明早汽笛一声，你们就踏上光明之路，脱离苦海，得到自由了。”

“砰！砰！呯！”忽然起了一阵紧急的打门声。

“那一个？”

我用长沙腔问，三个人相顾失色。

“检查。”外面的声音。

门开了，走进来两个背着枪上有刺刀的兵丁和一个长官，还有十多个兵，以及水手，搭客都挤在门外看热闹。仅仅只能容纳两个铺位的房间里，顿时挤得水泄不通，仁君略略地向外边移动一下，却被一个麻脸的兵叫住：

“不要动，你难道想逃走吗？”

“我为什么要逃走？”

“你动什么？”

“你管我动什么？”

仁君气得几乎要动拳头了，幸而那位军官还知趣，他骂了士兵一声：“闹什么？好好的检查，”才免了这场武剧。

“你叫什么名字？那里人？”

在箱子，被窝，小提篮……一切都检查完毕之后，那位高个子，比麻子和气一点的兵这样问我。

“我叫薛英子，长沙人。”

“她呢？”

“她是我的妹妹。”

“妹妹？”高个子将爱珍从头到脚详细地打量了一番，似乎表示不相信的样子：“她为什么比你高？”

“那不是笑话，天下有多少儿子比父亲高的！”

我的回答引得外面的人都笑了。

“既是姊妹，为什么半点不像？”

军官也故意与我为难起来。

“俗语说：‘十崽（儿子）十相’，人，又不是用木头做成的，自然是各人一副面孔。”

“好刁滑，你敢这么胆大吗?”

麻子怒气冲冲地挤上前来了，仁君见势不佳，忙偷偷地在我的手上碰了一下，暗示我当心危险，立刻，我的脸色便变得很和悦了。

“她们和你是什么关系?”

那个高个子王八又在转问仁君了。

“她们是我的表妹，家里住在汉口三马路逢源金号，这回来长沙看家母，住了两星期，所以今天送她们上船回去。”

虽然仁君的脑海里充满了愤恨，受了他们的侮辱也只好忍受，比方“她们和你是什么关系”一句，问得再岂有此理也没有了，他的语气来得那么凶恶，混蛋好像疑心仁君不是个正经人似的，然而“秀才遇着兵，有理讲不清，”是千古的惯例，何况为了我们有特殊的情形，当然更不敢和他作对了。

“你在那里做事?”

“盐务局。”

说着，仁君给徽章他们看，麻子走拢去斜视了一下，呶着嘴悄悄地走了。其余那个也跟着出来，军官留在最后，临走时留下这么讨厌的一句:

“同两个这么年轻的表妹在屋子里，不应该关门，懂得吗?”

“混蛋!”

当他向爱珍瞟着迷眼时，我几乎骂出声来。仁君更气得满脸通红，但是不敢发泄，一想到我们是两个逃亡者时，自然而然地屈伏下来了。

“过了一关了!”爱珍完全像个孩子，她这时居然快活得跳起来。

“轻一点，他们还没有走。”

仁君连忙摇手。

“真的，这是比鬼门关还难过的一关，居然也平安地过去了，阿弥陀佛。”

我也笑了一笑，这笑，的确是由心坎中发出来的真的笑，得到了解脱的愉快底笑。

“还有两关。”

爱珍悲苦的脸色又沉下来了来。

“我那一关是不要紧的，只有你，要到船开了，才能算是脱离了虎口。”

我说话时的语气，好像有点故意刺激爱珍似的，这使得她生气了。

“我也并不害怕，正如你方才说的，充其量不过是一个‘死’而已，但‘死’又有什么可怕呢?”

“好，这就是你们的精神，伟大的女性底力的表现，只要抱着这种大无畏的，勇敢的牺牲精神和恶势力去奋斗，没有不成功的！希望你们不要因受了挫折而灰心，应当再接再厉!”

仁君这几句话，正像一篇激昂慷慨的演说词，我俩默默地听着，虽然没有表示，但他的话已深深地刻上了我们的心弦，印进了我们的脑海。

“仁君先生，谢谢你劳苦了一夜，现在快十点了，将是戒严的时候，请你早点回去休息吧。”我要求仁君立刻走，但他似乎不放心我俩在船上过夜似的，“我还再坐一会吧，我担心还有什么人来找你们。”他从圆窗里望望外面，又望望我们。

“不要紧，戒严了，他们不会来追了的，仁君先生，你还是早点回去吧。”

我除了用恳求的语气请他走外，什么感激的话都说不出。表的长针只差三分就到十点了，仁君在无可奈何中告别了我们。

“祝你们一路平安，到汉口立刻来信。”

仁君走了出去，又回转头来说了这两句。

“当然，不过明天的报纸，你也得特别注意一下。”

三个人同时苦笑了一声。

夜，没有星光的黑暗之夜。

已经十二点了，岸上寂静得没有半点儿声音，因为戒严的原故，连买水饺，馄饨，油巴巴的小贩也不见一个，整个的长沙城，被笼罩在漆黑的夜色之下；一盏盏星光似的电灯，也显出昏黄的颜色。虽是夏天，但是更深夜静的凄凉景色，正像深秋一般。洞庭丸上的水手们，搭客们通通都入梦了，醒着的，只有十三号房舱间的我和爱珍，还有外面统舱里一个正在咳嗽的老太婆，和一个刚哭了几声的小孩子。

风吹着水打在船头上，发出洞洞洞的响声。

热气已经完全退了，从江里吹上来的晚风带着清凉的意味，我翻了身，伸出头来，望着睡在上层铺上的爱珍说：

“珍，你又醒了吗？好好地睡一下吧。”

“我……我……我不……不能睡。我，我……我害怕家里赶来。”

“怎么？你又在哭吗？告诉你，哭是没有用的，既下了决心逃走，就不要害怕，家庭给与你的是压迫与苦痛，难道你还留恋吗？”

“不，丝毫不留恋，我是怕他们赶来又将我捉回去了，你要知道如果被他们拉回去，非强迫我结婚不可的，那时，我一生就完了！”

“何必这样害怕？我想他们一定以为你是到你的姑母家去了，所以没来找你，如果知道你上了船，早就赶来了，怎么还能等到现在？”

“不，也许他们以为我搭火车走了，因为我是今天下午三点多钟就离开了家里的，他们一定乘夜快车赶到汉口去了。”

“如果真是这样，那我们上码头时又危险了！”

我们真像一叶孤舟，黑夜里驶在渺茫无际的大海里，过了一个风浪，又是一个风浪，看不见灯光，辨不出东西南北，多么危险呵！这时爱珍的心像刀割一般地痛，她是一个刚满十六岁的小姑娘，自幼娇养在祖母的怀抱里，十三岁才开始选入恒翠女校去学习美术。她很聪明，不到一年已经学会水彩画了，第二年改习西洋画，成绩很好，每个教员都夸奖她的天才，而她自己在一般同学的爱慕里过着安琪儿似的愉快生活，不知道人生有苦痛，有忧愁。从她的眼里看去，整个的宇宙是个灿烂的春天，一幅美丽的图画，宇宙间每个人都是春天里的快乐之神，图画里的生气勃勃的生灵。她歌颂人生，歌颂爱，歌颂美，她觉得爱与美是生命的要素，离开了爱，简直不能生存，缺少了美，正好像没有灵魂的骷髅。她说“爱”与“美”是她生命的维系者。在十五岁刚满的那年，学校里请来了一位年约廿二岁的美术教员，他是近代美男子的典型，有强健的身体，美丽的面容，卓绝的艺术天才。性情温柔得像古代的闺女一般，而勇敢的精神，却又像沙场的战士。

就在他来到学校的那天，爱珍便爱上他了。但那位先生是个有进步的思想的青年，仅仅只教了半年，便往别处参加实际工作去了，而爱珍呢？从此成了一个单恋病患者，弱小的心灵开始尝到苦痛的滋味。她咀咒人生，她说人生是苦恼的快乐，幸福，这些都是骗人的名词；人，根本就是苦，但是奇怪，为什么偏偏要在苦痛中挣扎呢？为什么不干脆地一个个死了呢？从她爱的柯走了底一天起，她不但想毁灭自己，而且想毁灭整个的宇宙。

这是多么稀奇而令人注目的新闻呵，一个十五岁的小姑娘投河自尽。当捕鱼的救出她来送到警察所再转送到她的家里时，爱珍已是奄奄一息了。

她的全家除了父亲一个人知道她自杀的原因而外，谁也不明白她究竟是受了什么刺激而下死的决心。

“不要问她为什么要投河，且待她精神恢复了再说吧。”

父亲这样地嘱咐他的妻和母亲，心里苦痛到说不出的地步。他是教育界的名人，自己又创办了一个中学和小学。现在女儿弄出这样的事来，给社会上的人做为茶余饭后的谈笑，批评，简直羞辱得无地自容。他下决心要在这年的冬天，将爱珍嫁给十三年前就许配给他了的许玄宗。

许是一个花花公子，他父亲是H县的有名缙绅，有钱有势，提起他的名字，谁都知道的。生长在那样环境里的玄宗，自然是挥金如土；他的性情，暴燥如虎，粗黄的皮肤，矮小的身段，除了吃喝嫖赌以外什么都不懂，这自然没有资格得到歌颂“美”和“爱”的爱珍。

渐渐地她的精神恢复原状了，出乎一切人意料之外，她经过这一回刺激之后，人生观突然改变了：她积极地追求“生”，她痛恨自己为什么这样懦弱干出那么愚蠢，而给自己永远留下了耻辱的事来。“自杀，为什么我要自杀？这是我生命史上的莫大污点，要洗掉它，除非积极地活下去，而且要努力地干去，要以鲜红的血来洗刷我的污点，我要像我爱的柯一般献身给社会！呵，不错，他一定因为我不是他的同志，所以他只含糊地告诉我一声‘因事要离开此地’就走了，如果我现在有和他一样的思想，我不是也可以去吗？而且无论什么时候，无论在什么地方，我总可以见到他的。总之，他是在都市或者在乡村，为创造未来光明的社会而努力着，我如果要找他，只要往那些劳动者聚合的地方去找好了。”

自从爱珍有了新的觉悟以后，闪在她脑海里的又是另一种人生，这是同以前的需要美，需要爱不同的，从前的美和爱只是一个人的，幻想的，自私的，而现在她的目标看得无限远，她了解柯所做的事，也了解同学江，汪她们的思想，她要加入那个集团，共同创造新的社会——全宇宙的人都相爱都有美的，幸福的，自由的愉快的生活享受底社会。她决心了！就在那年的冬天，她实现了自己的志愿，开始新的生活，新的人生了！

家里也就在这时宣布了她的死刑，决定了第二年的暑假为她解决那件终身大事，所以不立刻举行婚礼的原因，只是嫁奁还没有准备完全，爱珍自尽的事，当然瞒着许家，不让他们知道的。

爱珍明白目前家庭给与她的是“软禁”的方法，虽然一方面因了自己的个性很强，所以父亲勉强答应她每天去学校上几小时的功课，但另一方面却在用索子紧紧地缚住她，无论如何，也逃不出这被监视的圈子。

这次，能够跟着我逃走，是她下了最大的决心，而且也是生与死的最后决斗。我怂恿她逃走，而又是和自己一路，当然，她的家庭会恨我入骨的，但我能眼看着一个人掉在火坑里不援救吗？

我真感激仁君，他虽然是我的间接朋友，却因了思想相同，就大家亲爱得像至好的骨肉一般，那种患难相关的同情与援助，除了在同一思想的环境里能找到外，在丑恶的现社会里绝不会发现的。

“唉！妈呀！我不回去，我宁可死……我怕，我怕回去呀……”

爱珍哭哭啼啼的梦呓，惊醒了我，连忙爬起来用力掩住她的鼻子大声叫醒她。

“我，我害怕，姐姐，你看看窗外，是不是我母亲赶来了？”

突然她骨碌地坐了起来，一面用手擦眼泪，一面战战兢兢地指着窗口哀求我去探视。

“没有，什么都没有，大家都睡了，你不要吵醒他们，静静地躺下吧！”

话虽如此说，但我刚才向窗口望时，好像看见有一个黑东西在搭桥上走着，我害怕，猛然一阵风吹来，我轻轻地打了一个寒噤。

——也许是我的哥哥赶来，也许是她家里的人；这恐怖，这怀疑，只能藏在我的心里，表面上是不能露出半点来的。

静悄悄地我开了房门出来，生怕被刚躺下的爱珍觉察到了，又缩回去走近她的身边仔细听听。还好，她已经睡着了，眼角和两颊上还挂着未干的泪痕。脸，呈着惨白色，像死去几天的尸首一般令人害怕。

“喂！干什么?”

一声粗鲁的叫喊声，骇得我连忙向后面倒退。原来我只顾向靠码头的船边走去，不留心一只脚踏着了睡在房门口的茶房的头。

“去毛房。”

我轻轻地回答。

“碰你的鬼，去毛房走这边来，又不是大水淹死了你的爷向上寻。人家的头给你踏破了，知道吗?”

茶房恶狠狠的骂声，惊醒了好几个搭客。

“对不起，我没有看到，请你原谅。”

“这么大一个人都看不到，眼睛瞎了吗?”

要是平时茶房这种凶恶的态度，会燃烧起我的怒火，但今夜不知怎的，我变得特别驯良，半点也不敢反抗，我轻轻地走遍了统舱，靠着栏杆呆望……

夜是静的，除了江涛滚滚的声音外，只有风的呼号，以及由统舱里传来的鼾声，和自己的心跳声。

半轮凄冷的明月，斜挂在天的西边，稀疏的星星闪出萤火似的微光，大地渐渐沉下去了，阴森森地黑暗得异常可怕。风，一阵紧一阵地迎着我瘦弱的身子吹来，要不是有栏杆挡住，也许被它吹倒了。

——要是我哥哥赶来的话，我是跳水还是逃走？跳水，牺牲太大了，逃走，不可能的！不但警察会帮忙他，就是船上的任何一个人也会拉住我的，唉！倒不如跳下水去来得痛快，但是如果因水急而淹死了时，那岂不牺牲得太没有代价了吗？

我所以这样恐怖，是因为刚才在窗洞里看见的那个黑影似乎躲到船头上去了，我断定那黑影一定是来抓自己的魔鬼。

“喂，站在这里做什么？”

这突如其来的声音，骇得我魂飞天外：一个巨大的黑影，站在我的面前，我睁大眼睛一看，认出这是那位卖船票的胖子账房。

“房子里太热，出来吹吹风。”

我勉强地笑了一笑。

“外边的风很大，你妹妹没有出来吗？”

“小孩子不晓得热，她睡觉了。”

为了这位胖子先生问及我的妹妹，我神经过敏地生怕他有什么野心，即刻回到房间里关上门躺在床上。

“砰，砰，砰砰砰!”

又是一阵紧急的敲门声。

“妈呀，我怕!”

爱珍大叫起来了。

打门声更来得厉害。

“谁?”我从容地问。

“找姓王的。”外面的声音。

“没有，这里没有姓王的。”

“请你开开门让我看看。”

“有什么可看，告诉你这里没有姓王的。”

“开门，开了再说。”

我想这一定是爱珍家里来人抓她回去了。所谓找姓王的不过是他们的借口，然而已经到了这个地步，害怕也没用，只得不顾爱珍的拼命拉住自己而上前去将门钩放下。

一道红光射了进来，两个穿长衫的男子用手电在我的脸上照了一下后，连忙陪着笑容说：

“对不住，扰乱了你。”

“没有关系。”

两个男人又去敲廿三号的门去了。

“姐姐，你摸摸，我的全身都被汗湿透了，头也冰冷，刚才我还停止了呼吸，我以为那是来抓我的人。”

爱珍气喘喘地说着，我只苦笑了一声。

“唉！草木皆兵，到了这时无论什么动静都是使我们胆寒的，但愿船快开，否则今晚太难过了！”

铁练铮铮地响着，这是在收锚。

一道鱼肚色的光射进了小小的窗口，我站起来往外一望，只见许多人在手忙脚乱地工作着，原来的确到了开船的时间。

“好，快活呀！我们得到自由了！”

我抱住爱珍的头狂吻，爱珍也快活得流出泪来。

“姐姐，是我们的世界了！”

巨大的机轮开始转动了，汽筒在呜呜地向天空示威，河水像千兵万马般怒吼起来，船渐渐地向东边转舵，由慢而快，一刹那便驶进了湘江的中间。

别了，长沙，在一轮红日初从东边的水里升起时，我和爱珍手牵手地站在甲板上，欢迎晨光，欢迎初出的太阳，欢迎未来的新生命。

奇　遇

洞庭丸走了一天一夜才到汉口。当晚我们就在梦棠那里住下。她也是当过兵的，不过这时已是一位《孤帆》编辑者的夫人了。

第二天晚上，我们买了一个统舱的吊铺，两个人合用。梦棠她们也很穷，连水果都没有买一点，就这样步行着送我们上了瑞和轮船。

这是我第一次看到的大船，搭客很多，连走廊上，甲板上都统统坐满了。有几处简直是人上堆人，我们好容易才从人山人海中挤过去，找到了自己的铺位。

由每个统舱客身上发出来的汗臭气，比阿母尼亚还要昏人。

“两个人一个铺位怎么睡呢？还是买个房舱位置吧。”

一个胖子茶房笑嘻嘻地走来招揽生意。他看到我们穿的是整齐的学生装，而又有朋友送行，似乎不应该坐在这样龌龊的统舱里。当然，他绝对不会想到我们的全部财产只有七元钱的。

这是一间最大的统舱，里面有三百多个铺位，每排有上中下三层铺，我们是靠河边的那一排，有一个小小的圆窗，可惜铺是最下的一层，光线黑暗得可怕。靠近我们对面的邻居，正在摆着盘子大抽其鸦片，一股臭气突然刺进鼻里，害得大家几乎都要呕吐出来。

“你们回去吧，这里空气太坏，又没有地方可坐，太受罪了。”

我希望他们快走，自己也好休息一下，可是他们一定要等船开时才上岸，不得已，只得大家湾下腰挤在吊铺上坐着闲谈。

一会儿，收铺钱的人来了，我交了四元钱给他。

“这次客人太多，统舱铺位统统没有了，本来这是我睡的地方，但你们两位是女客，只好相让，不过这铺只能晚上放下，白天仍然要吊起的。”

当茶房这样对我们说时，大家都吃了一惊：

“怎么？白天不能放下，她们怎么坐呢？”

梦棠很严重地质问。

“是的，这是过路，每天开饭都要以这地方为中心的，因为人多拥挤的原故，这副板子必须吊起。”

茶房不慌不忙地解释着。

“白天我们坐到什么地方去呢？”

“哼，坐吗？姑娘，想坐就要买官舱，买房舱，搭统舱的人十个有九个都是站的。”

“你要我们一直站到上海吗？”

爱珍带着生气的口吻说。

“对不起，站到上海我们也没有办法可以帮助你们。”

“退钱吧，这样的铺位要它干什么？”

建一定要我们搬回去，明天再搭别的船，但是我们坚持不允，为了害怕爱珍的母亲赶来，所以要急于离开汉口。

——一切苦痛都忍受着吧，到了上海就自由了。

我以这话安慰自己和爱珍。开船的锣声响了，他们才告别我们回到码头上去。

我从网篮里拿出枕头和线毯来摆在铺板上，爱珍问我：

“这么小的板子，怎么可以睡两个人呢？”

“试一试吧，如果万一不能，我们轮流着睡好了，你睡半夜，我坐半夜，你坐半夜，我睡半夜，难题就解决了。”

“坐到什么地方去？”

“床板上。”

“这么矮的地方，怎么好坐？你看，我的腰不是要湾断了吗？”

爱珍苦痛地说着，我连忙安慰她：

“不要紧，晚上热得很，横竖不能睡的。月夜的景致最美，尤其在渺茫的长江中，我陪你到甲板上看月亮去吧。”

真的，晚上就实行了我的话，我们没有睡，只是站在栏边望月亮，看星星。

月亮是如此皎洁，两岸的风景像在晴天似的一目了然，那儿是高山，那儿是田陇，那儿是村庄，树林……什么都看得清清楚楚。尤其是月夜的长江简直像万倾金波，从天上泻下一般美丽，机器的声音愈响得急促，由船头打过来的浪花，便愈加雄浑而壮丽。那些狼狈地躺在船边的人，他们大半都是难民，每个人身上的衣服都是破烂不堪的，男孩子们完全裸体，女孩子也只挂了一块破布，遮住某一部份，他们都低着头在打鼾，月光照着他们枯瘦惨白的脸，一看就知道这些都是为生活受压迫的奴隶们。

爱珍因为前昨两晚都没有睡好，所以先回去睡了，我仍然痴痴地看着月亮和云赛跑，星子偷偷地渡河。

夜，静极了！

整个的宇宙似乎都在睡梦中，除了轧轧的机轮声与水声外，你还可听到隐约的虫声，和清脆的令人愉快的夜莺的歌唱，这些都是幽静的音乐，在梦里的人们是永远享受不到的。

爱珍一睡下去就像死了一般的喊不醒，我不忍使她难过，宁可自己多受一点苦蜷曲着睡在她的背后。两只脚吊在地上，不到十分钟全身都麻痹了。

奇怪，在这样的铺上，我居然也走进了梦乡。

在一个很大的日本纱厂里，我做了粗纱间的女工，正在拼命摇着机器的时候，忽然断了一根纱，机器立刻停止了，我正在接纱，猛然间一条铁棍落在我的背上，呵！原来是工头来了，我想赶快接好纱头开始工作，谁知因为害怕工头，心里慌张的原故，手指被卷进机器里面去了，一时鲜血染红了白纱，三个指头不见了。

“唉哟！”

我大大地叫了一声，由梦中醒回来，原来上铺那个老头儿因为不小心，掉下一只饭碗，恰好打在我的头上，一时鲜血淋漓，连衣服都染红了。

我不由自主地痛得大声叫喊了起来，惊醒了许多人，爱珍也爬起来了，这时那位老头连忙拿他自己的洗脸手巾替我揩血，一位学生模样的青年责备他太不小心了。茶房都来围住我慰问，他们都说着对不住我的话，我痛得抬不起头来，老实说，他们说的什么，我并没有听清楚；只一位有圆脸，乌黑的大眼珠底茶房跑来看我时，倒使我吃了一惊，因为他是那样地像一个侦探般的特别注意我，他的两条视线不住地向我的周身扫射，最后他倒大大地责备了那老头儿一顿，命令他立刻搬开，把这铺位让给我睡。

“对不起，这是我的粗心，并不是有意打了她，原谅我吧。”

老人颤抖着声音向他一哀求，本来这怎么能怪他呢？我的头要不是伸在外面也不会遭到这样的不幸，谁叫我们穷，买不起两个铺位呢？

“你打破了人家的头，不是好玩的事。”

这位侠客似的茶房又在打抱不平了。爱珍轻轻地附在我的耳边说道：

“这茶房真奇怪，为什么这样帮你的忙呢？”

我忙用眼睛示意，她就再不敢做声了。

“没有关系，现在不痛了，谢谢你们。”

话虽如此说，其实这时我的伤处正痛得像用铁锤一下一下地在捶着。

“我到账房那里拿点墨鱼骨头灰给你敷上，立刻就会好的。”

那个奇怪的茶房走了以后，我的心突然害怕起来。

——为什么他这样向我献殷勤呢？难道有什么野心？

爱珍又睡下去了，只是我两手抱着受伤的头，眼睁睁地坐到天明。

开饭了。

统舱照例每天只有两顿没有菜的粗米饭吃，在每次开饭时，茶房提着一桶像污沟水似的茶来，给搭客当做汤用。我们买了两块豆付干，爱珍还嫌太少，她质问我为什么不买咸蛋和榨桂鱼，我告诉她整个的财产只有三块钱了，还要给茶房小账。

这天开晚饭时，那个圆脸大眼睛的茶房突然端了两碗雪白的饭来送给我们，还用一张纸包了些咸鱼，榨菜之类。

“不要菜，请你拿回去吧。”

我不敢接受他的好意，我始终不明白为什么他这样殷勤地招待我们。

“没关系，不要你们算钱的。”

他很快地走上楼去了，听说他是招呼官舱的。

“他拿来的菜里该没有放毒药吧？”

爱珍吃了一口又连忙吐了出来。

“傻瓜，他要毒害我们干什么？我们又不是有钱的人。”

这一顿我们吃得很好，那么大的一碗饭吃得一颗也不剩。

最怕的夜又来到了！

爱珍简直是条瞌睡虫，天还没黑，就呼呼地睡着了，这使我无论如何疲倦，也不忍叫醒她来，吃这种站岗似的苦。起初我因为头痛倒下去睡了半小时，她在外面站着，可是不知什么时候她已经睡在我的身上了，两只脚压在我的胸部，像块石头一样。被她压醒了以后，我发觉满身是汗而且湿得像刚从水里爬出来似的，对面那个烟鬼又在开始工作了。为了那种臭气太难闻，我只好立刻走到外面去吹风。

奇怪，本来这是空的过道，此时忽然摆了一条长的竹椅，但并没有看见人，我贪便宜，很不客气地就坐上了。

“对不起，我看见没有人，所以在这里坐坐。”

我一眼望到了那个圆脸茶房走来，赶快站起来很难为情地向他道歉，心里感到一种莫明其妙的害怕。

“我知道你昨夜太辛苦了，所以今晚特地摆了一张竹椅给你睡，刚才我跑去看你，你已睡了，不好叫醒，现在你就睡在这里吧。”

他这时的态度，更使我怀疑，但是仔细地望着他，又好像曾经在什么地方见过似的。

——不要瞎想，这轮船我是第一次乘它，当然过去不曾遇到这不知姓名的茶房。

“不，我不想睡，你搬开吧！”

我正言厉色地对他说。

“你也许是不敢睡，那么坐一坐吧。”

他笑了一笑。

我真的坐下来了。

他开始叫我谢同志，并说出他在咸宁商会曾经见过我，问我是否还认识他？

“不，我没有到过咸宁，也没有见过你，你认错了人吧，我并不姓谢。”

“不要客气，昨天你们才上船时，我虽然只看见你一眼，脑筋里就有了一个印象，直到你头部受伤，我仔细留心你的声音和态度，就断定是你了，因此今天下午才敢冒昧地送一点好的饭菜给你们吃。在这里，你不要害怕……没有人知道的。”

“不！你说的我完全不懂，真的我不是你所说的那个人！”

我唯恐他是Spy故意说出这些话来试探我。几次我都严肃地否认我的姓名，他没有法子，只好做更进一步的说明：

"你总还记得咸宁县的钱远洁吧?"

听到钱远洁三个字，他也许真的是个好人，因此疑云便渐渐地消去了。

"我以前本是海员公会的执委，"他忠实地继续着叙述，"后来团体派我回去负责组织工会，因此我请了一个月的假，那次在商会开工农商学兵妇女代表大会时，你不是曾经代表政治部出席报告的吗？那时主席是工会的秘书长刘同志，我是担任组织的。"

这时我完全相信他说的都是实话了，但我仍然有点怀疑，为什么他还能平安地在这里当茶房呢?

"现在你总可以和我谈话了吧，不致怀疑我是坏人吧?"

他望着我愉快地微笑着。

"你怎么还能在这里呢?"

"我在咸宁的行动，很少有人知道，那时我请假回去，是假说母亲死了，现在重来，他们见我整天只是执行茶房的职务，当然没有什么可怀疑的。不过我刚才对你说的话，绝对不能让第三者听到。"

"我希望你再多讲一点我们走后，咸宁峰口一带民众遭难的情形。"

这时我好似遇到了一个故乡的亲人一般，急于需要知道别后一年的咸宁，那些忠实勇敢的农民，活泼前进的青年，要求解放的妇女的情形了。

“唉！说起来真太惨了！”他长长地叹了一口冷气，“当你们来到咸宁时，被压迫的民众都以为救星到了，每处在土、劣、贪、污、地主和军阀的铁蹄下的民众，都可得到解放，永远没有痛苦了！谁知不到一个月，他们又恢复了地狱生涯，而且比以前更苦了！你们走后的第二天，军阀就退回来了，不问青红皂白，见到年轻人和剪了头发的妇女，就一律枪毙。他们初进城的这天，用机关枪扫射了一千多农民和青年妇女群众，其中固然有不少的积极份子，但三分之二还是些天真的少年和乡村妇女。那些曾经逃亡了的土、劣、贪、污、一听到革命军开走了，他们立刻回来屠杀乡民。现在我们县里，尽是他们的势力，年轻力壮的男人，几乎都做了刀下鬼，因此田地一天天荒芜起来，野外尽堆积着发臭的死尸，血腥气远在数里外就可闻到，唉；可怜的故乡，现在完全成了屠场了！”

听着，我默默地听看，心中感到无限的凄凉，这结果大家早就料到了的，但没有想像得如他所叙述的可怕。我又问起峰口那个妇女协会的会长来，他说：“早已做了烈士了！”

“唉！想不到时局是这样变化得快的，我们的希望在昙花一现中就消灭了。”

“不要悲观，新的社会正在压迫之下酝酿着，伟大的时代，不久就会到来的。”

我这样安慰他，同时安慰自己。

看到有人出来乘凉了，我们立刻停止了谈话。

“珍，告诉你一个好消息，那个圆脸茶房，是我认识的，难怪他这样关心我们；现在不用怕了，他可以送我们上岸，而且送到嘤嘤书屋孙伏园先生那里。”

我轻轻地将爱珍推醒，这样告诉她一个可喜的消息，她高兴得几乎叫了起来。

“那好极了！”

“不要大声，给别人听到是不好的。”

一个旅行在沙漠中的人，忽然得到了别人给他的一杯甘露，不管这甘露是不是毒害自己的药液，也会喝下去的。无意中，我遇到了同情的相识者，当然得到了暂时的安慰。

夏天的气候是如此变幻得令人难测，晚上在月光下坦着胸睡着的人，现在都挤到统舱间来了。暴雨如倾盆一般，孩子们发出悲惨的哭声来，立刻使你想到在大餐间官舱里的有钱人，是如何地沉醉在梦乡里，或者正在用望远镜，欣赏那烟雨蒙蒙的远景，听着淅沥淅沥的大自然的音乐呢。

本来挤得水泄不通的统舱里，骤然增加了这一大批难民，更显得几乎连针都插不进了。茶房因为不好走路，口里老是咕咕咕咕地闹个不休。

“滚开，好狗不挡路。”

一个手里提着开水壶的茶房，恶凶凶地在骂一位蜷卧在过道上的少年。

“你才是狗，一个茶房，好大威风，狗婆养的！”

听了最后一句，就知道这少年是长沙人。

忽然茶房放下了开水壶，因为放得太重，开水溅在一个正在吃奶的小孩脚上，害得孩子哇哇地大哭起来，茶房和那个少年打得一塌糊涂，搭客们统统站在一条战线上帮助那位被侮辱的少年，和无辜受难的孩子，而茶房也像联合着，向搭客们进攻似的大嚷大骂。

“这些狗王八，只欺负统舱的搭客，一见到大餐间，官舱里的那些有钱的人便连屁都不敢放一个了。”

这是一个粗暴的乡里人说的，顿时引起了群众热烈的鼓掌声。

“对！对！茶房就是侍候这些东西的奴才！”

“也不想想，谁都是父母生的，谁都是一样的人，为什么我们要受人家的欺负呢？”

真没有想到一个两天来没有见到她说过一句话的中年妇人，会吐出这口不平之气来的。

三天三夜的轮船生活，快告结束了。当船将要驶进吴淞口时，我的心是感到多么的茫然呵！

我像一叶失了舵的孤舟，浮沉在波涛汹涌的大海里，我像一匹弱小的羔羊，失落在虎豹怒吼的深林中；我像一只失群的孤雁整天在空中哀号，飞过了太平洋，飞过了喜马拉雅山，飞过了红海，飞遍了天涯地角，但，何处是归程啊！上帝！

一阵阵的冰感，只是向我的周身袭来。

——到了上海又怎么办呢？

凝视着白茫茫的长江，滚滚的波涛给与我以新的启示。流吧，只有同水一般地流去才有出路，才能找到最后的归宿。不论前面是险滩也好，礁石也好。你只要像流水一般不断地，猛然地冲去，随时都可发现你的新生命，实现你的志愿的！

汽笛像冲锋号似的唤醒了我，船将靠近怡和码头了。电车，公共汽车，马车，摩托车……高耸的烟囱，整齐的洋楼，一切都会的文明都呈现在眼前。在码头上搬运东西的苦力们唱着“唷嘿，唷哈”的歌声。这歌声，就是他们的呻吟，他们的呐喊，他们的心之共鸣。

“到了，我送你们上岸去吧！”

那个圆脸茶房笑嘻嘻地走来替我们提行李，我们怀着一种新的希望离开了充满烟汗臭气的统舱，踏上了黄浦滩头。

图书在版编目（CIP）数据

一个女兵的自传 / 谢冰莹著. — 北京：中国国际广播出版社，2013.1
（良友文学丛书）
ISBN 978-7-5078-3538-0

Ⅰ. ①一…　Ⅱ. ①谢…　Ⅲ. ①自传体小说－中国－现代　Ⅳ. ①I246.5

中国版本图书馆CIP数据核字（2012）第266122号

一个女兵的自传

著　　者	谢冰莹
责任编辑	张娟平　聂福荣
版式设计	国广设计室
责任校对	徐秀英
出版发行	中国国际广播出版社（83139469　83139489[传真]）
社　　址	北京复兴门外大街2号（国家广电总局内）
	邮编：100866
网　　址	www.chirp.com.cn
经　　销	新华书店
印　　刷	环球印刷（北京）有限公司
开　　本	620×920　1/16
字　　数	135千字
印　　张	17.5
版　　次	2013 年 1 月　北京第一版
印　　次	2013 年 1 月　第一次印刷
书　　号	ISBN 978-7-5078-3538-0/I · 397
定　　价	46.50元

CRI 中国国际广播出版社
欢迎关注本社新浪官方微博
官方网站 www.chirp.cn

人文阅读与收藏·良友文学丛书

(1)	鲁　迅　编译	竖　琴
(2)	何家槐　著	暧　昧
(3)	巴　金　著	雨
(4)	鲁　迅　编译	一天的工作
(5)	张天翼　著	一　年
(6)	篷　子　著	剪影集
(7)	丁　玲　著	母　亲
(8)	老　舍　著	离　婚
(9)	施蛰存　著	善女人行品
(10)	沈从文　著	记丁玲
	沈从文　著	记丁玲续集
(11)	老　舍　著	赶　集
(12)	陈　铨　著	革命的前一幕
(13)	张天翼　著	移　行
(14)	郑振铎　著	欧行日记
(15)	靳　以　著	虫　蚀
(16)	茅　盾　著	话匣子
(17)	巴　金　著	电
(18)	侍　桁　著	参差集
(19)	丰子恺　著	车箱社会
(20)	凌叔华　著	小哥儿俩
(21)	沈起予　著	残　碑
(22)	巴　金　著	雾
(23)	周作人　著	苦竹杂记　（暂缺）